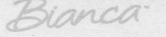

Caitlin Crews

Bajo el embrujo del sultán

Editado por HARLEQUIN IBÉRICA, S.A.
Núñez de Balboa, 56
28001 Madrid

© 2014 Caitlin Crews
© 2014 Harlequin Ibérica, S.A.
Bajo el embrujo del sultán, n.º 2353 - 3.12.14
Título original: Undone by the Sultan's Touch
Publicada originalmente por Mills & Boon®, Ltd., Londres.

I.S.B.N.: 978-84-687-4753-8
Depósito legal: M-24152-2014
Editor responsable: Luis Pugni
Impresión en CPI (Barcelona)
Fecha impresion para Argentina: 1.6.15
Distribuidor exclusivo para España: LOGISTA
Distribuidor para México: CODIPLYRSA
Distribuidores para Argentina: interior, BERTRAN, S.A.C. Vélez
Sársfield, 1950. Cap. Fed./ Buenos Aires y Gran Buenos Aires,
VACCARO SÁNCHEZ y Cía, S.A.

Capítulo 1

L A CHICA apareció de la nada.
Cleo Churchill pisó a fondo el freno de su
pequeño coche de alquiler y dio un volan-
tazo hasta detenerse en medio de un estrecho callejón en el centro de la vieja ciudad de Jhurat.

Con el corazón acelerado por el pánico, creyó
que había sido una alucinación. El abrasador sol del
desierto comenzaba a ponerse tras los edificios his-
tóricos, dibujando fantasmagóricas sombras en el
suelo. Se había perdido entre aquellas viejas callejuelas y, además, cada ciudad le resultaba muy parecida a la anterior, después de llevar seis meses recorriendo Europa y Asia. No había ninguna razón
para que una chica se lanzara encima del capó de su
coche...

Sin embargo, allí estaba. Era una joven muy hermosa, con los ojos muy abiertos, pegada a la ventanilla del pasajero y, en apariencia, no estaba herida.

Gracias al Cielo, no la había atropellado, pensó
Cleo.

—¡Por favor! —gimió la chica a través de la ventanilla abierta del coche. Su voz sonaba desesperada—. ¡Ayúdame!

Sin pensarlo, Cleo alargó la mano temblorosa hacia el manillar de la puerta del copiloto para abrir.

–¿Estás bien? –preguntó Cleo, mientras la desconocida abría de par en par y se metía de un salto en el coche–. ¿Estás herida? ¿Necesitas...?

–¡Arranca! –gritó la joven, como si la persiguiera el mismo diablo–. ¡Por favor! Antes de que...

Cleo no esperó a que terminara la frase. Ella también había escapado del mismo diablo, así que sabía lo que había que hacer. Pisó el pedal del acelerador, concentrándose en la calle que tenía delante. Esperaba que las condujera al fin fuera de aquel laberinto de callejuelas que rodeaban el palacio de Jhurat, hogar del sultán. A su lado, la chica jadeaba como si hubiera estado corriendo.

–Tranquila –dijo Cleo, tratando de calmarla y, de paso, de calmarse–. Estamos bien.

Entonces, un hombre salió de las sombras y se puso delante del coche, como si retara a Cleo a atropellarlo. Ella maldijo con los ojos fijos en él.

Era alto y fiero, con gesto intimidante, y llevaba una túnica, la vestimenta típica de los habitantes del lugar, aunque su tejido era de muy rico aspecto. Parecía un hombre poderoso y fuerte. El sol estaba detrás de él, por lo que su cara permanecía en la sombra, pero aun así Cleo percibió la intensidad de su mirada.

El hombre se quedó parado en medio de la calle, como una roca. Se cruzó de brazos y esperó. En ese momento, Cleo se dio cuenta de que había frenado. Había parado el coche justo delante de él, sometiéndose a su orden silenciosa.

A pesar de sí misma, sintió un escalofrío de miedo.

El extraño rugió algo en árabe que hizo que la chica que iba en el asiento del copiloto se retorciera como si la hubiera abofeteado. A Cleo se le encogió el estómago.

Aquello no tenía ninguna buena pinta, se dijo.

–Sal del coche –ordenó el hombre con gesto autoritario.

Cleo tardó un segundo en comprender que se refería a ella.

–Ahora –añadió el hombre a través de la ventanilla del conductor.

–¿Quién es ese? –susurró Cleo, incapaz de apartar la vista del extraño que la tenía hipnotizada.

La chica que había a su lado soltó un sollozo y se cruzó de brazos, apretando la mandíbula.

–Ese es Su Excelencia el sultán de Jhurat.

–¿Qué? –dijo Cleo, cada vez más presa del pánico, mientras el hombre seguía parado delante de ella, como si supiera que era solo cuestión de tiempo que lo obedeciera. Parecía una especie de guerrero sobrenatural. Sobrecogida y maravillada al mismo tiempo, ella no podía dejar de mirarlo–. ¿Por qué iba a perseguirte el sultán por una callejuela?

–Porque es un demonio –repuso la chica, haciendo una mueca–. También es mi hermano.

Cleo tragó saliva.

Entonces, entendió en qué consistía la fuerza que emanaba de aquel hombre tan imponente, eso que hacía que la ciudad resultara pequeña a su lado.

Y, en ese momento, por alguna razón, se acordó de Brian, débil y mentiroso. Brian la había humillado, haciéndola creer que la había amado cuando no había sido cierto. ¿Cómo podía haberlo creído, cuando no había tenido ni un ápice de la autoridad que emanaba el hombre que tenía delante?

Con un gesto de la cabeza, el sultán reiteró su demanda. No necesitaba ni siquiera palabras para urgirla a salir del coche de inmediato.

Y Cleo se olvidó del estúpido de Brian y de la amante que había tenido en secreto durante todo el tiempo que habían estado prometidos.

Pero se acordó de las advertencias que le habían hecho sus padres y sus tías, en Ohio, cuando le habían dicho que huir de los problemas solo le llevaría a toparse con problemas peores. Y eso era lo que acababa de pasarle.

El sultán seguía esperando, aunque daba la sensación de estar a punto de perder la paciencia.

—Atropéllalo —dijo la chica—. No te lo pienses.

—No puedo —musitó Cleo. Entonces, el tiempo pareció detenerse. De pronto, todo desapareció a su alrededor, excepto ese hombre.

Él seguía allí parado. Quieto. Vigilante. Feroz.

Con una abrumadora sensación de ansiedad, Cleo sintió que estaba a punto de hacer algo que quedaría grabado a fuego en su destino, algo inevitable e inamovible como aquel hombre, dueño de toda la ciudad.

El sultán no podía ser débil, aunque quisiera, adivinó ella.

Despacio, Cleo apagó el motor y abrió la puerta. Ignorando a la chica que había en el asiento del copiloto, salió del coche.

Entonces, el sultán se movió. Hizo un gesto con la cabeza a alguien que había detrás de ella y unos soldados uniformados aparecieron de pronto. En un abrir y cerrar de ojos, rodearon el coche, todos equipados con ametralladoras.

Cleo no entendió ni una sola palabra de las que se intercambiaron aquellos hombres, con tono alto, rudo y rápido. Aun así, no podía apartar la mirada del sultán, que también tenía los ojos puestos en ella.

Uno de los soldados agarró a Cleo de la mano. Encogiéndose al instante, ella miró al sultán, consciente de lo frágil y vulnerable que era en ese momento.

A pesar de todo, no se sintió tan mal como le había hecho sentir Brian dos semanas antes de su boda. Aquel día, ella había regresado a casa pronto del trabajo y lo había encontrado en el suelo de su salón, con otra mujer.

El sultán dijo algo. Al parecer, era la segunda vez que lo repetía.

—Lo siento. No te he oído —repuso Cleo y deseó poder ver mejor su rostro, sin que el sol le diera directo en los ojos. Sus rayos ponientes iluminaban la figura del sultán por detrás, creando la imagen de una especie de dios ancestral. Su intuición le decía que aquella cara debía de ser tan imponente como el resto de su figura...

La voz del sultán volvió a sonar, profunda y calmada, a pesar de la tensión subyacente y, por alguna razón, Cleo se tranquilizó y se excitó al mismo tiempo.

–¿Sabes quién soy?

–Sí.

Él asintió.

–Dale tus llaves.

Fue una orden implacable emitida en perfecto inglés, con acento británico. Cleo sabía que debería hacer algunas preguntas, exigir saber qué pasaba. En vez de eso, se limitó a obedecer.

Mientras ella seguía mirando cautivada al sultán, el soldado que había a su lado tomó la llave que ella le entregaba.

¿Por qué no podía ni respirar?, se dijo Cleo. ¿Por qué era como si un terremoto se hubiera desatado en su interior?

Todo se ralentizó a su alrededor. Los hombres se llevaron el coche con la chica.

Ella se quedó a solas en un callejón en un país desconocido con un hombre tan grande y poderoso que ostentaba un título digno de un cuento de hadas.

En ese momento, él se movió hacia ella. Contemplando su figura poética y amenazante, Cleo se quedó paralizada. El sultán la recorrió con la mirada de arriba abajo, dando una vuelta a su alrededor. En la mano, llevaba la cartera que Cleo había dejado en el coche. Uno de sus hombres debía de haberla...

–Mírame –ordenó él con voz suave como la seda.

Cuando Cleo levantó la vista, al fin, pudo verlo.

Era un rostro muy hermoso. Y fiero. Tenía el pelo espeso y oscuro, mirada de guerrero de ojos claros, nariz afilada y una mandíbula fuerte. Unas débiles líneas de expresión alrededor de sus ojos sugerían que debía de haber sonreído en algún momento de su vida, aunque ella no pudo imaginárselo sonriendo. Parecía esculpido en piedra.

Al compararlo con ese hombre de aspecto tan masculino y feroz, Brian, de rostro redondeado, atractivo y suave, le parecía de otra especie distinta. Quizá esa era la razón por la que el corazón le latía tan deprisa, porque él no era Brian.

Y porque era realmente guapo.

–Eres americana.

–Sí –contestó ella, aunque no había sido una pregunta.

Cuando el sultán la recorrió de nuevo con la mirada, Cleo se esforzó en no encogerse. Ella llevaba pantalones oscuros y botas altas, con una blusa amplia y una chaqueta oscura, tanto para ocultar su cuerpo en aquel país tan conservador como para protegerse del frío de la noche que se acercaba. Al salir, se había recogido el pelo largo y moreno en un moño, pero habían ido soltándosele mechones a lo largo del día, dándole un aspecto desarreglado y juvenil.

Sin poder evitarlo, en ese momento, Cleo deseó que él la contemplara con el mismo fuego que ella sentía en su interior.

El sultán abrió la cartera de Cleo y miró dentro, inspeccionando sus documentos de identidad.

–Estás muy lejos de Ohio.

–Estoy viajando –dijo ella con voz más ronca de lo habitual–. Recorriendo mundo.

–¿Sola?

Por alguna razón, Cleo no quería admitir que así

era. Sin embargo, el calor que inundaba sus venas no la dejaba pensar con claridad.

—Sí —admitió ella, esforzándose por no delatar sus emociones—. Llevo seis meses fuera. Vuelvo a casa dentro de dos semanas.

La verdad era que no quería regresar todavía. Quizá, nunca.

—A menos que te retengan, claro —señaló él, como si le hubiera leído la mente.

—¿Por qué iban a retenerme? —preguntó ella, frunciendo el ceño.

—En este país, se condena con la cárcel a los extranjeros que intentan secuestran a un miembro de la familia real —informó él con naturalidad.

Sin poder contenerse, Cleo esbozó una mueca burlona.

—No he secuestrado a nadie. Tu hermana se echó encima del coche. ¿Querías que la atropellara? —le espetó ella, mientras él la miraba con incredulidad—. Solo quería ayudar.

El sultán la observó en silencio, mientras su incredulidad se tornaba en algo diferente, más peligroso.

—¿De qué imaginas que huía mi hermana?

—¿Quizá pretendes casarla con alguien a quien no ama?

Cleo había leído demasiadas novelas románticas, por eso, se le había ocurrido esa explicación, aunque no sabía nada sobre él ni sobre sus costumbres.

El sultán la atravesó con la mirada, haciendo que la temperatura de Cleo subiera todavía más.

—Qué imaginación, señorita Churchill.

Ella quiso salir corriendo.

O no. Llevaba seis meses huyendo. Y, por primera vez, quería parar, reconoció para sus adentros con el corazón acelerado.

–Tu hermana no me dijo de qué huía –explicó ella, fingiendo tranquilidad–. Se tiró al coche, eso es todo. Y tú apareciste delante de nosotras como un villano de una película de terror. Solo te faltaba el hacha, por suerte.

De nuevo, el sultán parpadeó, como si no estuviera acostumbrado a que le hablaran de ese modo. Tampoco ella podía creerse que hubiera sido capaz de ser tan poco respetuosa.

–Mi hermana tiene dieciséis años –informó él con voz baja y controlada–. No quiere volver a estudiar a su internado. Te sorprendió en medio de una rabieta.

–Me pidió ayuda –repuso Cleo, levantando la barbilla con gesto desafiante, como si no tuviera miedo a nada–. Y no voy a disculparme por haber intentado ayudarla, por muy fiero que te pongas.

El sultán la observó en silencio. Cleo se reprendió a sí misma por sus palabras. Sabía que ese hombre podía hacer lo que quisiera con ella. Ser insolente con alguien así debía de ser la segunda cosa más estúpida que ella había hecho jamás. La primera había sido confiar en Brian.

–Tienes suerte, pues no necesito tus disculpas –afirmó él–. Pero me temo que debes acompañarme de todos modos.

Khaled bin Aziz, sultán de Jhurat, se quedó pensando qué iba a hacer a continuación. Estaba en el viejo palacio, en el pequeño despacho donde sus hombres habían recluido a la mujer americana.

Su hermana había sido conducida a sus aposentos, donde se quedaría hasta que a la mañana siguiente los guardias la escoltaran al internado. Se aseguraría de que allí vigilaran sus movimientos más de cerca. Él sabía que Amira no tenía la culpa de actuar de forma tan irresponsable. Sin duda, la joven ignoraba el alcance y las consecuencias que podían derivar de su rebeldía.

Khaled recordaba que, a los dieciséis años, él también había estado furioso con todo el mundo, aunque no había podido permitirse el lujo de demostrarlo. Había estado demasiado ocupado llevando el peso de la responsabilidad de ser el heredero de su padre.

«Tú no importas», le había dicho su padre cuando él apenas había tenido ocho años y, a partir de entonces, se lo había repetido a menudo. «Solo Jhurat importa. Sométete a esta verdad».

Tampoco en el presente podía Khaled dejarse llevar por sus emociones. Había demasiadas cosas en juego. Tenía pendientes varios acuerdos de comercio con las potencias occidentales, que lo consideraban un bárbaro. Eran la clase de negocios que podían sacar a Jhurat de la pobreza. El país había estado a punto de hacerse pedazos bajo la paranoia de su padre, que se había empeñado en cerrar sus fronteras al exterior.

«Abre las fronteras y abrirás la caja de Pandora», le había advertido su padre en uno de sus momentos de lucidez. Khaled no había entendido del todo lo que eso había significado, hasta el presente.

No podía culpar a Amira, aunque le daban ganas de matarla por meterle hasta el cuello en problemas. Ojalá otra persona pudiera ocuparse de resolverlos. Sin embargo, eso era lo que sucedía cuando se heredaba un país antes de lo previsto, cuando su padre había sido declarado incapacitado. No había habido nadie más para ocupar su lugar. Por eso, esos problemas le pertenecían a él y solo a él.

–No es nadie importante –le dijo Nasser, su jefe de seguridad, con la mirada puesta en el portátil que sostenía en las manos–. Su padre es electricista y su madre trabaja en una consulta médica en un pequeño pueblo a las afueras de una pequeña ciudad en el interior del país. Tiene dos hermanas, una casada con un mecánico y otra con un maestro. No tiene ningún vínculo con nadie influyente.

–Ah –repuso Khaled, sumido en sus pensamientos–. Pero eso significa que puede ser la protagonista perfecta de sus historias preferidas. Aprendí en Harvard que a los norteamericanos les encantan los cuentos de hadas en los que alguien sin importancia se convierte en una persona poderosa gracias a su propia fuerza interior o alguna estupidez parecida. Es parte de su herencia cultural.

Dentro de la habitación, aquella mujer sin importancia estaba encogida en una silla, con los codos sobre las rodillas y la cabeza entre las manos. Parecía estar respirando hondo. ¿O estaría llorando? Khaled no lo creía, después de que la había escuchado hablar de villanos y de hachas con tanta arrogancia. Aunque también había percibido el miedo en sus ojos cuando había ordenado que la condujeran a palacio. La había asustado, lo sabía, pero por alguna razón, no lo lamentaba.

No había tiempo para lamentaciones. Solo importaba Jhurat.

–Ha estado viajando, como ella dice –continuó Nasser, tras un momento, sin hacer ningún comentario sobre los cuentos de hadas a los que acababa de referirse el sultán.

Su discreción era una de las razones por las que Nasser siempre había sido el mejor amigo de Khaled y su mano derecha.

–Salió de Ohio hace seis meses y, desde entonces, ha estado yendo de un lado a otro. Su itinerario parece escogido un poco al azar. Parece ser uno de esos paréntesis de un año que hacen los americanos para viajar cuando terminan la carrera, aunque ella terminó sus estudios hace varios años. Igual se está buscando a sí misma o algo así.

Khaled dio un respingo ante el tono seco de Nasser.

–Y, en vez de eso, me ha encontrado a mí. Pobrecilla.

–No hay razón para que lleves esta situación más lejos, si no lo deseas –comentó Nasser–. Puedes manejar a una mujer. Sobre todo, cuando a nadie va a importarle lo que sea de ella.

–¿Y crees que podremos manejar a nuestros enemigos también? ¿Qué estarán maquinando ahora para echarme de palacio a causa de mi sangre impura? –replicó Khaled. Se rumoreaba que sus genes eran defectuosos y que había heredado la demencia de su padre. Y, tal vez, tenían razón, se dijo–. Estoy seguro de que ya ha corrido la noticia de que tengo a una joven americana bajo arresto. Ya lo sabrá la prensa. Es inevitable.

–Podemos lidiar con la prensa.

–Con los que son afines a nosotros, tal vez –señaló Khaled. Así era como su padre había hecho las cosas, manipulando a los medios de comunicación, y lo único que había conseguido había sido complicarlo todo un poco más–. ¿Y si el rumor sale del país? Seguro que la noticia se filtrará a los medios extranjeros. ¿Qué dirá de mí el mundo cuando me vean como un monstruo que secuestra a jovencitas extranjeras de la calle?

Khaled sabía que una noticia así podía echar al traste los contratos de comercio que necesitaban cerrar. Además, las inversiones extranjeras se verían mermadas, por no hablar del turismo que había incrementado desde que había abierto las fronteras.

No podía permitirse dar ningún paso en falso.

–La gente no quiere volver a la Edad Media –indicó Nasser con tono sombrío–. Quieren ver películas y tener ordenadores y recibir dinero contante y sonante de nuevos empleos. Da igual lo que diga ese tonto.

«Ese tonto» era Talaat, el líder de la resistencia, que reclamaba el derecho al trono, alegando que la sangre de Khaled estaba maldita con la misma enfermedad mental que había afectado a su padre.

Talaat era primo de Khaled por parte materna. Habían jugado juntos de niños. Tenía cierto sentido poético que su propio primo terminara siendo su peor enemigo, pensó. Lo cierto era que su sangre no había hecho más que dificultarle la vida. Como acababa de pasarle con Amira.

—A Talaat no le importa lo que la gente quiera —afirmó Khaled—. Solo desea tener el poder.

Nasser no respondió. Sabía que, aunque era la verdad, lo que quisiera el pueblo no importaría si Talaat seguía ganando adeptos influyentes.

Khaled esbozó una sonrisa llena de amargura. No jugaría a su favor convertirse en la noticia de moda en internet, cuando los norteamericanos estaban deseando aprovechar cualquier provocación para arremeter contra países como Jhurat. Y haber recluido en un palacio a las afueras de la ciudad a una joven extranjera podía ser interpretado como una gran provocación.

Por eso, tenía que pensar muy bien qué iba a hacer con esa mujer que nunca debía haberse cruzado con Amira. ¿Qué contaría ella si la soltaba? ¿A quién se lo contaría? ¿Cómo aprovecharían su historia los enemigos del reino, si le ponían las manos encima? Y él sabía que irían por ella. Siempre lo hacían.

La americana se incorporó en su asiento. Khaled la observó un momento, sabiendo lo que debía hacer. Lo había sabido desde que la había hecho salir del coche y, si era sincero, estaba deseando hacerlo desde que ella le había demostrado aquella sorprendente fuerza de carácter.

Esa mujer era un regalo. Y él pensaba tomar cualquier regalo que la vida le ofreciera.

Además, era un regalo excelente. Era delicada, con ojos grandes y bellas facciones. Tenía el pelo negro con reflejos caobas y dorados, recogido en un desarreglado moño.

Era muy bonita, se dijo a sí mismo, frunciendo el ceño. Demasiado bonita.

Una mujer elegante e inolvidable, observó para sus adentros, aunque fuera vestida como un chico. Esas ropas amplias e informales no la favorecían en absoluto.

Khaled era un hombre tradicional. Siempre había preferido a las mujeres que resaltaban su feminidad. Apreciaba las anchas caderas y pechos generosos, en vez de los cuerpos andróginos con demasiados huesos. Le gustaban las féminas tímidas y sumisas que le hacían sentir fuerte y poderoso.

Desde luego, no le gustaban las mujeres occidentales como esa que tenía delante, con poco pecho y en los huesos. Además, lo había mirado directamente a los ojos, se había atrevido a burlarse de él y no había tenido la cordura de suplicarle clemencia.

A Khaled nunca le había gustado que lo desafiaran.

Aun así, los ojos de su cautiva eran extraordinarios. Habían brillado como oro líquido cuando lo habían mirado en el callejón y, desde entonces, no había podido sacárselos de la cabeza.

Por alguna extraña razón, se sentía embrujado por ella.

Sin embargo, no podía dejarse engatusar. La mujer extranjera no era más que un instrumento para él, lo quisiera o no. La política y el futuro de su país estaban en juego.

–Lo siento –le dijo Khaled, acercándose a ella con una sonrisa forzada. Con esfuerzo, trató de utilizar todo su encanto, polvoriento y oxidado por falta de uso.

–Pues sí necesitaba una disculpa –repuso ella con tono seco, aunque su gesto desafiante se esfumó al mirarlo a los ojos.

–La lamentable escena que presenciaste en el callejón debió de asustarte.

Cleo lo miró a los ojos de nuevo, provocando algo innombrable en el corazón de él.

Ella era su regalo y estaba ansiando utilizarlo.

Con una sonrisa, Khaled se sentó delante de ella. Rodeada de cojines, la joven parecía más pequeña, ajena a las poderosas garras que la habían atrapado.

Cuando él acercó la silla, percibió cómo los ojos de su cautiva se abrían un poco más y contenía la respiración. Y supo que no era por miedo.

Se sentía atraída por él. Bien.

Khaled también utilizaría eso a su favor.

Cuando ella se humedeció los labios con la lengua, sin dejar de mirarlo, algo se incendió dentro del sultán, que empezaba a disfrutar de aquello más de lo que había imaginado.

–Espero que me dejes compensarte por haberme portado como un hermano sobreprotector –dijo él con una amplia sonrisa.

Capítulo 2

EL HOMBRE que tenía delante en aquel despacho del palacio era imponente y daba un poco de miedo, pero no parecía el mismo que se había enfrentado a ella en la calle. Y no solo porque se hubiera cambiado de ropas.

Aquella versión del sultán de Jhurat sonreía e intentaba mostrarse amable, aunque no por eso parecía menos amenazador, observó Cleo con el corazón acelerado.

–Por favor, llámame Khaled –dijo él con tono amistoso, acomodándose en la silla con un conjunto de pantalones y camisa negros de algodón.

Cleo no había conocido en su vida a nadie que fuera tan masculino. Y tan guapo.

Para colmo, le estaba pidiendo que lo llamara por su nombre de pila. ¿Como si fueran amigos? Ella nunca podría ser amiga de un hombre así. Era demasiado imponente, demasiado... increíble.

–Bueno... de acuerdo, Khaled.

El tal Khaled tenía el aspecto de ser capaz de comerse a cien tipos como Brian para desayunar y seguir teniendo hambre, caviló Cleo.

Apartando la vista, miró a su alrededor, con la esperanza de calmar el calor que crecía en su interior. Pero no tuvo éxito, por muy bonitos que fueran los cojines de seda, las paredes ricamente decoradas o el techo dorado.

–¿Significa eso que ya no vas a retenerme más? –preguntó ella.

Echando la cabeza hacia atrás, Khaled rio, dejándola sin respiración.

–Confieso que me comporté de forma un poco exagerada –admitió él, todavía sonriendo–. Comprenderás que un hermano mayor no puede evitar ser protector con su hermana adolescente.

Entonces, el sultán hizo un gesto con la cabeza a un criado invisible y, al momento, se materializó ante ellos una bandeja con té oloroso y caliente y una deliciosa variedad de pastelitos.

Era como si quisiera engatusarla, observó Cleo para sus adentros, atónita.

Con un movimiento de la mano, su anfitrión despidió a los criados y le sirvió el té, como si fuera lo más normal del mundo. A ella, a Cleo Churchill, de las afueras de Columbus, Ohio, a quien no le había pasado nunca nada interesante en la vida. Sí, le habían sucedido cosas humillantes y embarazosas, pero un prometido infiel no tenía nada de interesante. Era aburrido y típico, igual que ella misma debía de haberle resultado a Brian, empujándole a traicionarla de aquella manera.

Debía de estar soñando, pensó Cleo, con el muslo dolorido de todas las veces que se había pellizcado a sí misma para comprobarlo. Justo ante sus ojos, el sultán manejaba con suma delicadeza la porcelana china, sin dejar de emanar un poder y una fuerza sobrecogedores.

Cleo tragó saliva y apretó los ojos un momento, por ver si de esa manera la fantasía que tenía delante se desvanecía.

–¿Té? –ofreció Khaled con tono delicado, como si fuera lo más natural que un hombre como él sirviera a una mujer como ella.

Pero, a pesar de su amabilidad y de su cultivado encanto, Cleo adivinaba que la ferocidad que había percibido en él al principio era su verdadera naturaleza.

Mientras, el sultán seguía sonriendo, incendiándola, como si quisiera seducirla... Pero eso era absurdo, pensó ella, advirtiéndose a sí misma que no debía soñar con alcanzar lo imposible. ¿O sí?

Al mismo tiempo, una traviesa voz en su interior le susurró que, después de lo mal que lo había pasado con Brian, se merecía algo salvaje y hermoso, aunque fuera imposible.

–No quiero entretenerte –dijo Cleo, aunque tomó el platito y la taza que él le tendía–. Estoy segura de que tus tareas reales te están esperando.

–Nada tan apremiante que no pueda tomarme mi tiempo en corregir tan grave error –repuso él, recostándose en su asiento mientras la miraba con intensidad–. Me disculpo por mi hermana, señorita Churchill. Te metió en un asunto de familia, colocándote en una terrible posición. Es imperdonable.

–Cleo. Si yo puedo llamarte Khaled... –comenzó a decir ella y se interrumpió un momento, saboreando el sonido de su nombre, como una pizca de chocolate puro y amargo– tú deberías llamarme Cleo.

–¿Es una abreviación de Cleopatra?

Cleo deseó que así fuera. Con repentino fervor y la sangre cada vez más caliente, deseó poder transformarse en cualquier cosa que a él le complaciera.

Sin embargo, eso mismo había hecho por un hombre que no le llegaba a Khaled ni a la punta de los zapatos. Y no volvería a repetirlo.

–No –contestó ella y depositó la taza sobre la mesa, temiendo derramarla sobre la alfombra que, sin duda, debía de ser carísima–. A mi madre le gustaba el nombre.

El sultán la contempló un momento en silencio, mientras ella contenía el aliento.

–A mí también me gusta.

Confusa, Cleo sintió una erupción de fuego y deseo en su pecho.

–Estabas hablándome de tu hermana –le recordó ella, tratando de ignorar sus sensaciones.

–Amira es mi responsabilidad –afirmó él tras unos instantes–. Nuestra madre murió cuando era pequeña y supongo que soy una mezcla de padre y hermano mayor para ella. Y lamento no haber estado a su lado para ayudarla cuando debería haberlo hecho. La salud de mi padre ha empeorado en el último año y he estado muy ocupado con los asuntos de Estado. No es una excusa, ni algo que pudiera haber cambiado, pero creo que explica su forma de actuar.

–Es difícil ayudar a una adolescente –señaló ella, esforzándose en sonar calmada–. Sentirse abandonada y maltratada forma parte de la edad, tanto si es verdad como si no.

–No puedo dejar de pensar que le habría ido mejor tener una tutora femenina, alguien aparte de su hermano mayor, que toma decisiones por ella que no le gustan. Imagino que le resulto tan insoportable como ella a mí.

Cleo tardó un poco en levantar la vista. Tenía los ojos clavados en el dobladillo de los pantalones que había paseado por un montón de países en su viaje, mientras se preguntaba por qué iba vestida como una adolescente. Sentada allí en aquel palacio, comprendió que nunca había sabido arreglarse como una mujer.

En una ocasión, Brian le había echado en cara eso mismo, acusándola de no esforzarse en resultar atractiva. ¿Pero por qué estaba pensando en Brian todo el tiempo? Lo odiaba. Y él no se merecía tener ese espacio en su cabeza.

De todas maneras, si era sincera, estaba hecha un desastre. Llevaba los pantalones remangados, las uñas rotas, ropas gastadas que había llevado durante seis meses, quitándosela solos para lavarlas en los lavabos de los hoteles. No era una indumentaria nada adecuada para estar en un palacio, ante un hombre que resultaba la viva imagen de la elegancia.

Entonces, cuando alzó los ojos hacia él, le sorprendió descubrir la intensidad con que la observaba. Estremeciéndose, se preguntó qué estaría pensando.

Sin duda, Khaled era un hombre acostumbrado a tener siempre lo mejor, a estar rodeado de belleza. Incluso su juego de té era exquisito. Sin poder evitarlo, ella deseó ser tan hermosa como todas las cosas que los rodeaban.

Deseó que, al mirarla, el sultán la encontrara bella también.

Era una locura, se reprendió a sí misma. Si Brian había considerado que iba desarreglada, ¿qué pensaría el gran sultán de Jhurat?

—La mejor medicina para las adolescentes es el paso del tiempo —comentó Cleo, cerrando las manos para ocultar sus uñas rotas. También el tiempo era la mejor cura para la vergüenza, pensó, aunque al parecer el destino no dejaba de humillarla—. Hablo por propia experiencia. La única manera de superar la adolescencia es pasar por ella, créeme.

—¿Por eso has viajado tan lejos y tanto tiempo? —inquirió él—. ¿Para darte ese tiempo que necesitabas?

—Hace mucho que dejé de ser adolescente —repuso ella, ansiando dejarle claro que se había convertido en una mujer. Incómoda, cambió de postura en su asiento—. Este viaje ha sido una especie de reto para mí, para probarme que era capaz de hacerlo.

—¿Por qué necesitabas probarlo?

Sin lugar a dudas, el sultán no necesitaba demostrarse nada a sí mismo, adivinó ella.

Era imposible que nadie lo hubiera engañado nunca. Nadie se atrevería.

—Tenía un buen trabajo en el departamento de Recursos Humanos de una pequeña empresa. Tenía familia y amigos y una rutina agradable. Estaba haciendo todo lo que se suponía que tenía que hacer —confesó ella y se encogió de hombros—. Pero, al final, yo quería más.

—¿Más?

Más de lo que la había esperado tras un compromiso roto, en un pequeño pueblo donde todos la habían mirado con lástima. Más que el tipo débil y rastrero con el que casi se había casado.

—Parece una tontería, lo sé.

Cleo no pensaba, de ninguna manera, contarle la verdadera razón por la que había salido de casa de Brian y, al día siguiente, se había ido derecha a la agencia de viajes. No pensaba admitir lo ciega que había estado para comprometerse con ese imbécil y, menos, delante de aquel hombre.

Por nada del mundo quería Cleo despertar lástima en un hombre como él.

Khaled sonrió.

—No sé si lo es o no, si tú no me lo cuentas.

—Toda la vida me han dado las cosas hechas —explicó ella. Brian no había querido romper su compromiso, después de todo. Encima, había considerado que la reacción de Cleo había sido excesiva. Y su hermana Marnie le había dicho que la vida no era un cuento de hadas y que ya había sido hora de que lo aprendiera—. Era una vida agradable. Podía haber estado satisfecha con ella. Además, tengo raíces en el sitio de donde vengo, lo cual también cuenta.

—Aun así, no eras feliz —adivinó él, mirándola a los ojos—. Igual querías alas en vez de raíces.

De pronto, Cleo se sintió inundada de alegría al verse comprendida por un hombre como él, tan lejano a su experiencia.

—Decidí que necesitaba hacer algo grande —afirmó ella, callándose que también había necesitado desaparecer—. Y el mundo es muy grande.

—Eso dicen.

–Yo quería más –repitió ella con determinación, la misma que la había llevado a tomar un avión cuarenta y ocho horas después de encontrar a Brian con su amante–. Por desgracia, cuando dices algo así, la gente que se conforma piensa que les estas diciendo que su vida es aburrida y pequeña.

–La mayoría de las vidas son pequeñas.

Y lo decía el sultán.

–¿Y tú qué sabes? –preguntó ella, riendo.

Sus ojos se encontraron entonces, a cual más sorprendido por el comentario de ella. Sin embargo, Cleo se negó a disculparse.

–Puedes reírte de ti mismo alguna vez –continuó ella–. No te matará.

Los ojos de Khaled brillaron, haciendo que a Cleo se le acelerara el pulso.

–¿Estás segura?

Cleo se quedó sin palabras.

–En cualquier caso, no te equivocas. Mi vida no tiene nada pequeño –añadió él y, con un autocrático gesto de la mano, la animó a continuar.

–Cuando compré los billetes de avión, las cosas se pusieron un poco tensas –prosiguió ella, aunque se calló los detalles. No pensaba reconocer las acusaciones que le habían hecho. Brian la había llamado fría, poco realista y frígida. ¿Y si Khaled estuviera de acuerdo con él?–. Pero no creo que nadie tenga que renunciar a nada por otra persona. Creo que eso es lo que se dice la gente para sentirse mejor respecto a las decisiones que no pueden cambiar. Y yo no quiero renunciar a nada. No lo haré.

Khaled sonreía con sus labios de guerrero.

–No eres una chica común –observó él.

En vez de sentirse insultada por su tono paternalista, Cleo no pudo evitar sentirse consumida por su profunda mirada. Él la contemplaba como si fuera maravillosa.

–De hecho, creo que eres una mujer bastante fascinante.

Era como un sueño, se repitió a sí misma. Justo era como quería que él la viera y, en cierta forma, el sultán parecía saberlo, a juzgar por su maliciosa sonrisa de satisfacción.

–Eres muy amable.

–Dijiste que solo te quedaban dos semanas de viaje –señaló él.

Perpleja porque recordara cualquier cosa sobre ella, Cleo siguió mirándolo a los ojos, sin aliento.

–Tengo una propuesta que hacerte, Cleo, y espero que la consideres.

–Claro –repuso ella en voz baja.

–Quédate aquí tus últimas dos semanas.

Entonces, Khaled se inclinó hacia delante y, cuando tomó la mano de Cleo entre las suyas, a ella casi se le salió del corazón del pecho. Todo su calor y poder la envolvió, apoderándose de ella como una droga, embriagándola.

Y, con ese sencillo gesto, la capturó con más seguridad que si la hubiera encerrado en una cárcel.

Sus ojos se encontraron y Cleo creyó percibir en ellos lo mismo que ella sentía, toda la fuerza del deseo.

Durante un instante, todo desapareció a su alrededor, menos el sultán.

–Quédate conmigo –rogó él con suavidad.

Y Cleo no pudo hacer otra cosa más que aceptar.

La vieja mochila de Cleo la esperaba en los aposentos que iban a ser suyos durante el resto de su estancia, como un pequeño fragmento de realidad dentro de la fantasía. Sus habitaciones eran parte de una suite de palacio que parecía sacada de un cuento de hadas.

La cama gigante estaba repleta de almohadas que parecían joyas, coronada por un precioso dosel. Suntuosas alfombras cubrían el suelo, pintándolo de complicados diseños y colores. Contraventanas de madera tallada enmarcaban los ventanales que conducían a un largo balcón. Las paredes estaban decoradas con impresionantes obras de arte, junto a hermosos mosaicos en los techos. Además del dormitorio, había un salón, un vestidor y un pequeño despacho que rivalizaban en tamaño con la mayoría de los pisos que Cleo conocía en su ciudad. El baño, por último, tenía una bañera donde podría haber nadado unos largos, si hubiera querido.

Incluso había una sonriente y amable criada llamada Karima que revoloteaba a su alrededor como si Cleo fuera una especie de princesa. En ese momento, la urgió a tomar un baño y, después, a ponerse un vestido que nunca había visto antes.

–No es mío –protestó Cleo, posando los dedos en el fino tejido–. No puedo...

–El sultán insiste –repuso Karima, dando por zanjada la discusión.

Durante su largo baño, Cleo había decidido que, si iba a quedarse allí, tendría que dejarle claro al sultán que lo hacía por decisión propia y no porque él lo hubiera ordenado.

Sin embargo, no pudo resistirse a ponerse el vestido y, cuando entró en el comedor un poco más tarde, se sintió transformada como en un sueño.

El vestido, largo y con los hombros al descubierto, era lo más elegante que ella había llevado en su vida, pensó, mientras la tela le acariciaba las piernas al caminar. En los pies, se había puesto unas delicadas sandalias, nuevas también. Además, la criada le había peinado con el pelo suelo sobre los hombros y le había puesto brillo de labios.

El sultán la esperaba en el pequeño comedor preparado junto a una fuente, con ventanas abiertas hacia un fragante y verde patio, como si no estuvieran en el desierto. Él seguía vestido de negro, con una chaqueta sobre la camisa que había llevado antes y un aspecto impecable y elegante.

Cuando Khaled se giró para saludarla, Cleo se quedó petrificada. Se sentía desnuda por completo delante de aquel hombre, más que si hubiera estado sin ropas.

La oscura mirada de él la recorrió, deteniéndose en cada detalle del vestido, hasta los pies. Aquello era un tormento, pensó ella, avergonzada e insegura de sí misma...

Cuando, al fin, el sultán levantó la vista, Cleo respiró aliviada al percibir aprobación en sus ojos. La miraba como si fuera hermosa, tanto como él, no

como si le estuviera haciendo un favor. ¿Qué había
en el mundo más irresistible que eso?

–Gracias por complacerme en el vestido –dijo él,
como si adivinara su inseguridad–. Me temo que
soy más tradicional de lo que se lleva estos días,
pero no hay nada que encuentre tan hermoso como
una mujer bella con un bonito vestido.

Cleo sonrió. ¿Qué otra cosa podía hacer?

Y, cuando él le tendió la mano con mirada de satisfacción, ella no pudo hacer nada más que acep-
tarla, ignorando sus dudas y temores.

–No puedes seguir regalándome cosas –había
protestado ella con gesto serio y el ceño fruncido.

Desde que había llegado a palacio, Khaled había
desayunado con ella todas las mañanas, a pesar de
que no tenía tiempo para darse esos lujos. Le gustaba recostarse entre cómodos cojines y bañado por
el sol, mientras observaba cómo ella iba despertando con cada trago de ese café tan fuerte que era
su favorito.

Cada día, Khaled tenía gestos más íntimos con
ella. Le tocaba la mano, el brazo, la pierna. Y le in-
trigaba cada vez que ella contenía la respiración o
temblaba y, al mismo tiempo, se esforzaba en ocultarle sus reacciones. Ese día, le había tirado con
suavidad de la cola de caballo, hasta que ella había
posado la mirada en él, con sus ojos color miel llenos de deseo, justo como él había querido.

Lo cierto era que quería más de ella de lo que había esperado en un principio. Era solo la excitación

de la conquista, se decía a sí mismo. Sin embargo, el fuego que crecía en su interior parecía indicar algo más profundo.

–Te prefiero con el pelo suelto –le dijo él con voz ronca.

Cuando, de inmediato, ella se sonrojó, Khaled se inundó de calidez. ¿Qué tenía esa mujer para causar un efecto tan intenso en él? Pero él sabía lo que hacía. Quería tentarla, sin presionarla–. Me gusta ver cómo se refleja la luz en él.

–Khaled –dijo ella, esforzándose por no sonar excitada, y se llevó las manos al pelo–. No sigas. No puedes...

–¿Acaso esto no es Jhurat? –preguntó él, satisfecho. Adivinó que, a pesar de que intentaba resistírsele, Cleo no podía.

–Ya sabes que sí.

–¿Y yo no soy el sultán de Jhurat?

–Eso dicen.

Su seca respuesta hizo reír a Khaled. No había esperado que aquella mujer despertara su sentido del humor. Con eso, solo convertía su objetivo en algo mucho más dulce...

–Entonces, creo que puedo hacer lo que quiera –continuó él, encogiéndose de hombros–. Y me complace regalarte cosas, Cleo –añadió. Cuando alargó la mano hacia ella para recorrerle con la punta del dedo la piel desde la sien a la mejilla, ella tembló, excitándolo aún más–. ¿No quieres complacerme? Ten cuidado con lo que respondes. Hay leyes aquí al respecto.

Cleo rio, como él había pretendido y eso también le gustó a Khaled.

La americana era suya, como había planeado.

—Te das cuenta de que le romperás el corazón —advirtió Nasser una noche, después de haber interrumpido una de las íntimas cenas que el sultán mantenía con Cleo por asuntos de estado.

Khaled le lanzó una fría mirada mientras atravesaban el pasillo hacia la sala de reuniones, para un encuentro de urgencia con su equipo de seguridad. Talaat había vuelvo a intentar soliviantar a sus súbditos en las provincias.

—Tomaré nota de tu preocupación por ella —comentó el sultán con voz más constreñida de lo que debería. Él sabía que no podía permitirse el lujo de preocuparse por los sentimientos de la extrajera—. Mientras, para tu tranquilidad, te diré que no pienso llevar las cosas más lejos de lo necesario. Sé dónde debo parar.

—Solo me pregunto si es necesario seguir con esto —repuso Nasser con su habitual tono calmado—. Quizá exista una forma más inocua de lograr tus fines.

—No hay poder en la Tierra más motivador que el amor —afirmó Khaled con amargura—. Puede hacer que la persona más práctica haga lo que no debería. Entonces, pronto, el amor desaparece cuando se enfrenta a la realidad.

Apretando los dientes, Khaled se recordó a sí mismo que no debía sentir nada, ni tristeza, ni arrepentimiento. Solo si no fuera el sultán podría permitirse el lujo de ansiar perderse entre los brazos de Cleo, sumergiéndose en su deliciosa entrega libre de artificio.

Desde el momento en que Cleo había dejado entrar en su coche a Amira, se había metido en medio de una partida de ajedrez que Khaled debía jugar, aunque le pesara. Y debía jugar para ganar.

—Lo único más poderoso que el amor es el despecho —señaló su amigo—. Y creo que tú lo sabes bien.

—Cleo no es mi madre —replicó Khaled, pasándose las manos por la cara, molesto—. Mi pequeña invitada no va a levantarse un día y atacarnos con sus garras antes de lanzarse a la autodestrucción. Ella no es así.

Nasser inclinó la cabeza y abrió la puerta de la sala de reuniones.

—Pero, sobre todo, yo no soy mi padre —añadió Khaled con tono sombrío y furioso, a la defensiva—. Sé lo que hago.

—Como digas, Excelencia —murmuró Nasser.

Khaled sabía que, aunque su amigo y consejero lo desaprobara, no le quedaba elección. Pero, aunque la hubiera tenido, habría seguido haciendo lo mismo. Esa certeza le hizo sentir vacío y egoísta. Justo como había sido su padre.

Sin embargo, eso no cambiaba nada.

Al menos, su padre no había sido dueño de sus actos. Khaled no podía tener la misma excusa. Protegería a Cleo de acabar como su madre, pero no la protegería de sí mismo.

Y sabía que eso lo convertía en un monstruo.

Algunas noches después, salió a dar un paseo con ella por los jardines bajo la luz de la luna. Cleo parecía hecha de plata, etérea y hermosa, mientras le sonreía y discutía sobre un libro que él había dicho que no consideraba interesante.

Entonces, Khaled se dio cuenta. La había convertido en la mujer más bella que había visto con solo un cambio de vestuario y dos semanas en palacio.

Era hora de hacerla suya, por mucho que eso lo convirtiera en un monstruo.

Cleo no se había recogido el pelo desde que él le había dicho que le gustaba suelto. Y había dejado de protestar por las ropas que le regalaba. Cuanto más la contemplaba, más diferente le parecía de la occidental andrógina que había encontrado en el callejón. Era un parangón de la elegancia y exquisitez que él buscaba en una mujer. Y eso era perfecto para sus propósitos. El mundo la consideraría una belleza de innata gracia y todos suspirarían por la romántica historia que pensaba venderles. Justo como había planeado.

Por su parte, Khaled nunca olvidaría a aquella mujer que ya estaba enamorada de él, llena de deseo, a pesar de que no tenía ni idea de lo que el futuro la deparaba.

—No me estás escuchando —protestó ella, mirándolo con un gesto muy poco respetuoso—. Eso es una grosería en cualquier cultura, creo yo.

El sultán no pudo sentirse ofendido por aquel gesto ni porque lo reprendiera.

Solo pudo recordar la advertencia de Nasser. Le rompería el corazón. Pero él no era un hombre bueno. Solo era un hombre egoísta, era cierto, pero también sabía lo que debía hacer.

—¿Te atreves a reprender a un sultán?

Khaled la tomó de las manos, sintiendo que su cuerpo se incendiaba. No había planeado desearla con tanta intensidad, pero se dijo que podía controlar sus instintos.

—Me atrevo, sí —murmuró ella.

—Ven aquí —dijo él con una sonrisa, atrayéndola a su lado.

Como el sultán había esperado, Cleo no se resistió. Jadeaba, como si hubiera estado corriendo, y la luna brillaba en sus ojos, grandes y llenos de pasión.

Khaled no pudo y no quiso resistirse.

—Bésame —ordenó él con voz suave como la seda—. Ya que eres tan atrevida.

Temblando bajo sus manos, Cleo echó hacia atrás la cabeza y lo miró con ojos ardientes. De pronto, él sintió la urgencia de saborearla, como si nada en el mundo fuera más importante.

Ella se puso de puntillas, agarrándose al pecho de él. Era femenina, elegante y bella. Y olía a jazmín, dulce y suave.

Solo un beso, se dijo Khaled. Quería probar su sabor.

Entonces, cuando Cleo posó su dulce boca en los labios del sultán, todo explotó dentro de él.

Capítulo 3

EL DESEO atravesó a Khaled como un cometa, consumiéndolo vivo.

Nunca había sentido nada parecido. Era una fiebre que le calaba a los huesos y lo transformaba de pies a cabeza. El corazón le daba brincos en el pecho, la sangre le quemaba como lava de un volcán, su cuerpo estaba duro y hambriento.

Quería más. Quería sumergirse en su boca, su aroma, su suavidad. Ansiaba perderse en el deseo que lo embriagaba, envuelto en los pequeños gemidos de placer de ella, en sus labios carnosos, su lengua mojada...

Su beso era una revelación maravillosa y, al mismo tiempo, una maldición. Khaled dejó de pensar, dejó de hacer planes. En un instante, se olvidó de quién era, de por qué hacía aquello. Dejó de intentar manipularla y de preocuparse por llevar a cabo su estrategia.

De golpe, se sintió como un hombre primitivo. Y lleno de vida. Desesperado, enredó una mano en el pelo de ella, sujetándole la cabeza para poder devorarla mejor. Con la otra, la agarró de la cadera, apretándola contra su cuerpo.

Dejándose llevar, Khaled se zambulló en aquella

boca tan tentadora y tan erótica, en aquella lengua que sabía a miel y le hacía desear probar el resto de su piel.

Lo único que quería en ese momento era levantarla del suelo, separarle las piernas y tomarla allí mismo, de pie. Su deseo era tan fuerte que no le dejaba pensar en nada más.

Fue un beso caliente y carnal. Cleo era suya, pensó, mientras ella se servía a gusto con sus labios, excitándolo cada vez más.

Sin embargo, eso no era suficiente, se dijo Khaled. No podía quedar saciado.

Había planeado probarla, saborearla nada más, pero el fuego que lo arrasaba estaba haciendo que se le fuera de las manos. Y no le importaba.

Guiado por un fiero instinto de posesión, la condujo a uno de los bancos de piedra y la sentó en su regazo a horcajadas, de forma que el suave calor de ella quedaba pegado a su dura erección.

Cleo suspiró, ansiosa de poseerlo, excitándolo todavía más. La luna la bañaba en tonos dorados, iluminando la pasión de sus ojos. El deseo había hecho presa en ambos y los manejaba a voluntad.

Khaled volvió a tomar su boca y, al sumergirse de nuevo en su calor, sintió la inevitable necesidad de hacerla suya en ese mismo instante. Quería tomarla una y otra vez, hasta conseguir saciarse. O hasta que ella gritara su nombre henchida de placer. O hasta que aquella locura los matara a ambos. Una muerte así sería un dulce final, pensó.

El sultán le trazó un camino de besos por la mandíbula, hasta el cuello, mientras ella echaba hacia atrás la cabeza, dándole libre acceso. Probó sus hombros y más abajo, hasta llegar al borde de su escote.

Sin titubear, él le bajó el vestido, dejando al descubierto un pecho pequeño y delicado, coronado por un sonrosado y erecto pezón. Siempre había preferido a las mujeres de grandes pechos, pero al ver aquel espectáculo ante sus ojos, se derritió sin poder evitarlo.

–Khaled –le susurró ella con respiración entrecortada.

El sultán le acarició el pecho, observando con atención su rostro, mientras ella cerraba los ojos y se mordía el labio.

Era una mujer maravillosa. Y era suya, se dijo el sultán, apretándose contra sus caderas, devorándola, su cuerpo una llamarada de fuego.

No podía resistirse.

Khaled inclinó la cabeza y le lamió el otro pecho, antes de meterse el pezón en la boca.

Y, cuando Cleo se estremeció y tembló entre sus brazos, sonrojada por el placer, él comprendió que aquella mujer iba a causarle más problemas de los que había esperado.

Cuando Cleo recuperó la noción de la realidad, entre los brazos del sultán, se sintió débil, vulnerable... y avergonzada. Khaled la había cambiado de postura y se limitaba a abrazarla, sin que ella siguiera a horcajadas sobre él. Y eso marcaba una cierta distancia.

¿Qué pensaría de ella? Sin duda, debía de creer que era una mujer fácil y desesperada, tan obsesionada con el sexo que había llegado al orgasmo solo porque le hubiera lamido un pecho. Estremeciéndose, se sintió cada vez más avergonzada por su falta de contención.

Al instante, sin embargo, la rabia ocupó todo el lugar de su humillación.

—Lo siento —le espetó ella, sin atreverse a mirarlo a la cara—. ¿Quizá hay alguna regla que impida tocar al sultán? Deberías haberme informado.

—Nunca te disculpes por ser sensible a mis caricias —repuso él—. Ni por llegar al clímax entre mis brazos. Ha sido un regalo.

Cleo se apartó un poco y se enderezó en el asiento. Todavía podía sentir la magia de su contacto y la embriaguez del placer, pero intentó dejarlos a un lado, mientras se colocaba el vestido. Una vez que estuviera adecuadamente tapada, todo sería más fácil, se dijo.

Sin embargo, su cuerpo seguía reaccionando por voluntad propia. Tenía los pezones endurecidos y entre las piernas, un fuego abrasador.

—No era mi intención que pasara —aseguró ella, tensa.

El sultán parecía una estatua de metal bajo la luz de la luna. Era un hombre que exudaba poder y ella misma había podido sentirlo bajo las manos... Al recordar sus labios devorándola, se derritió de nuevo sin remedio.

—¿Cuántos amantes has tenido? —preguntó él.

—¿Qué? —replicó ella, dando un respingo como si

le hubieran tirado un cubo de agua helada. Solo había estado con Brian, pero prefería morir antes que pensar en él como amante.

–¿Cuántos?

–No quiero responder –negó ella con tono firme–. Ni creo que sea asunto tuyo. ¿Por qué lo preguntas?

Khaled la envolvió en silencio con su mirada, tanto tiempo que, al final, Cleo acabó dándole explicaciones.

–No puedo darte una respuesta sin convertir este momento en algo incómodo –aseguró ella.

El sultán apretó los labios como si estuviera conteniendo la risa.

–No creo que la incomodidad haya matado nunca a nadie.

–¿Cuántas amantes has tenido tú? –inquirió ella, sin responder.

–Unas cuantas –reconoció él con fría mirada–. Aunque no me gustaría que tú me respondieras lo mismo.

–Vaya, eso es un poco machista.

–Lo es –admitió él, encogiéndose de hombros–. Pero yo soy un hombre tradicional y quiero saberlo.

Khaled habló como si tuviera derecho a conocer tales detalles personales de ella. Y había algo en su tono autoritario y su aire de poder que la impelía a satisfacer su demanda, a pesar de que no quería hacerlo.

–Uno –reconoció ella a regañadientes–. Nos conocimos en la universidad. Íbamos a casarnos. Pero no lo hicimos.

–¿Cuándo?

Cleo percibió cierta tensión en la voz de él mientras la observaba, esperando una respuesta.

–Hace seis meses.

Entonces, la mirada del sultán se oscureció, inescrutable. Alargó la mano y le colocó a Cleo un mechón de pelo detrás de la oreja.

–Ah –dijo él–. Querías algo más.

Cleo se puso furiosa de nuevo, aunque no estaba segura de por qué.

–Sí. Además, me lo encontré con su amante dos semanas antes de la boda.

Khaled arqueó las cejas, sorprendido.

–En caso de que te preguntes por qué, te lo diré –continuó ella. De pronto, se le ocurrió que, quizá, lo mejor fuera poner punto y final a aquel mágico e imposible interludio entre ambos–. Me dijo que era frígida.

El sultán esbozó una expresión extraña, de tristeza. Despacio, le acarició la mejilla con la punta del dedo. Luego, le agarró la barbilla con suavidad, para hacer que ella levantara la cabeza.

–Eres muchas cosas. Pero, como acabamos de demostrar, no eres frígida –afirmó él en voz baja.

Cleo se quedó inmóvil, incapaz de apartarse de su contacto.

Lo deseaba con toda su alma pero, al mismo tiempo, el ruinoso fantasma de Brian seguía interponiéndose entre los dos.

–Me dijeron que debía casarme con él de todos modos –recordó ella con amargura–. Me dijeron que era una ingenua si esperaba fidelidad, que eso no era realista, sino una fantasía romántica.

–No te preocupes –repuso él, todavía sujetándola de la barbilla, impregnándola de su calor–. Para mí esa fantasía es más preciada que ninguna. Y yo soy quien manda aquí. Si ordeno que una fantasía se haga realidad, así se hace.

Un tumulto de pensamientos y posibilidades se atropelló en la mente de Cleo.

–¿Pero te refieres a tu fidelidad o a la mía? –susurró ella–. No son la misma cosa y he descubierto que algunos hombres aplican una doble moral al respecto.

Murmurando algo entre dientes, Khaled la soltó.

Al instante, Cleo ansió que volviera a tocarla. Debía de estar loca, se dijo a sí misma, sin poder dejar de sentir el calor de sus dedos en la piel.

–Vas a acabar conmigo, pequeña –musitó él.

–No soy pequeña –protestó ella–. Y la próxima vez que alguien me engañe, correrá la sangre. Para que lo sepas.

Durante un momento, Khaled pareció estar orgulloso, como si aprobara su amenaza sangrienta. Sin embargo, al momento, una sombra le oscureció el rostro y se puso de pie.

–¿Qué pasa? –preguntó ella con un nudo en la garganta. Demasiadas emociones se agolpaban en su pecho.

–Nada en absoluto –mintió él–. Ven.

Cuando el sultán le ofreció el brazo, ella se levantó para aceptarlo. Aunque en parte sabía que lo más sabio sería salir corriendo y alejarse de él, se dejó conducir a palacio y, luego, hasta su suite. Mientras, un pesado silencio se cernió sobre ellos.

–Eso es ridículo –comentó ella cuando hubieron llegado–. No deberías haberme hecho la pregunta, si no querías conocer la respuesta.

–La única respuesta que necesitaba en realidad es la forma en que has llegado al orgasmo bajo mi lengua –afirmó él, aunque su voz tenía un tono distante–. El resto era mera curiosidad.

Por primera vez desde que habían salido del jardín, Cleo lo miró a los ojos, tratando de descifrar su expresión.

–¿Entonces por qué pareces tan triste?

Khaled rio con una risa vacía y oscura.

–La tristeza es para los que pueden elegir –explicó él muy despacio, como si fuera de vital importancia que ella lo entendiera–. Para mí, no hay opciones, solo está el deber. Siempre he sido fiel a mi responsabilidad –añadió en voz baja–. Recuérdalo siempre, Cleo.

–Parece importante –comentó ella y, de alguna manera, al verlo tan decaído, consiguió sonreír para animarlo–. Solo ha sido un beso, Khaled. Creo que sobreviviremos.

–No reconoces tu propia suerte cuando la tienes delante –le espetó él con otra amarga carcajada–. ¿Cómo puedo protegerte cuando ni tú misma te proteges?

Sin poder evitarlo, compungida por la extraña agonía que se había apoderado de su acompañante, Cleo le acarició la mandíbula, ansiando consolarlo.

–Todo va a salir bien –susurró ella, aunque ignoraba del todo qué era lo que tanto preocupaba a tan poderoso sultán–. Lo prometo.

Khaled se quedó helado, lanzándole una mirada que la atravesó como un rayo y como una advertencia. Entonces, murmuró algo, inclinó la cabeza y, cuando la besó con la misma pasión que le había prodigado en el jardín, Cleo se sintió perdida.

Aquel hombre sabía a la noche y a las estrellas, a un fuego que ella no había sentido nunca antes.

Cleo posó las manos en su pecho y, luego, las deslizó bajo su fuerte nuca. Y él se apretó más contra ella, sujetándole la cara con ambas manos, marcándola con sus labios con gesto posesivo.

Mientras Khaled murmuraba ardientes palabras en árabe, ella cerró los ojos y se sintió al borde de un inmenso precipicio.

El cuerpo de él parecía una gloriosa estatua de piedra incandescente, pensó Cleo, mientras se sujetaba a sus hombros fuertes y sentía su poderosa erección en el vientre.

Estremeciéndose, ella se dijo que estaba dispuesta a saltar por el precipicio, sin pensárselo. Y eso la asustaba, aunque no lo bastante como para apartarse de aquel frenético baile de lenguas y de caricias, del modo en que sus cuerpos se frotaban uno contra otro, de sus gemidos y sus jadeos.

Envuelta en llamas como una marioneta del deseo, Cleo se sintió al borde del clímax, mientras él le frotaba con el muslo entre las piernas...

–Es suficiente –rugió Khaled y, como si le costara un enorme esfuerzo, la soltó.

Incapaz de digerir las intensas sensaciones que la invadían y, menos aun, que el sultán hubiera parado, Cleo estuvo a punto de caerse al suelo. Él la sujetó del brazo para impedirlo, mientras la quemaba con la mirada.

Lo único que ella pudo hacer fue mirarlo a su vez, jadeante, drogada de pasión, alterada y expuesta.

—No te tomaré contra la pared como si fueras una prostituta —dijo él—. Soy el sultán de Jhurat, no un marinero borracho en su primera noche en tierra.

Sus palabras golpearon a Cleo como una bofetada. Primero, sintió vergüenza y, acto seguido, rabia.

—En el jardín, me pediste que te besara y ahora acabas de besarme tú —le espetó ella, frustrada y nerviosa—. No puedes hacer eso y, luego, apartarte y llamarme prostituta, ¡a menos que tú también lo seas!

Khaled parpadeó un momento, como si nunca nadie le hubiera gritado en su vida.

—¿Cómo dices?

—Eres tú quien está haciendo esto, no yo —continuó ella, poseída por la furia—. Tú y tus joyas y tus vestidos y todo lo demás. Lo que ha pasado en el jardín y lo que acaba de pasar ahora han sido cosa tuya. Eres tú quien ha hablado de fidelidad y de tu compromiso con el deber. Yo ni siquiera sé de qué va todo esto.

Khaled le acarició los labios con el pulgar, frunciendo el ceño.

—Yo sí sé de qué va —admitió él, meneó la cabeza y apartó la mirada.

—Me voy dentro de tres días —señaló ella, decepcionada porque Khaled no pareciera dispuesto a explicarle nada más. De pronto, se sintió agotada, derrumbada. Y le escocían los ojos como si estuviera a punto de llorar. Pero debía contenerse, se dijo a sí misma–. No sé qué quieres, Khaled.

–Creo que sí lo sabes.

–Pero no en el pasillo como un marinero borracho –le espetó ella, levantando la barbilla–. Y solo después de que decidas si está bien o no que haya tenido un amante.

Aunque el sultán parecía asombrado de su atrevimiento y sus maneras tan poco respetuosas, a ella no le importó.

–Guarda tus garras –ordenó él–. No te he hecho daño.

En eso, Khaled se equivocaba, pensó Cleo. Pero no sería ella quien le sacara de su error. Al menos, quería intentar terminar todo aquello manteniendo el resto de su dignidad intacta.

–Khaled, no hay por qué alargar esto –dijo ella–. Me pediste que me quedara. Si quieres que me vaya, dilo.

Entonces, él negó con la cabeza, con los labios apretados y la mirada seria y sombría.

–No, Cleo, no quiero que te vayas –repuso él y se metió las manos en los bolsillos, como si temiera que pudieran hacer algo contra su voluntad... como acariciarla.

Ella contuvo el aliento, testigo de cómo una tormenta se debatía en los ojos de él. Y, sin dejar de mirarla, el sultán continuó.

–Quiero que te cases conmigo.

Tres meses después, en el gran salón del palacio de Jhurat que rara vez se abría al público, la plebeya

Cleo Churchill se casaba con Su Excelencia el sultán, en una ceremonia tradicional seguida por cientos de invitados y en todo el mundo a través de las cámaras de televisión.

Con las manos cubiertas de *henna*, Cleo estaba envuelta en preciosas túnicas que le daban un aspecto misterioso, incluso para sí misma, cuando se había visto ante el espejo. Cuando el banquete comenzó, la verdad era que se sentía como una extraña. Pero esa desconocida y nueva versión de sí misma le gustaba mucho más que la de la mujer que había presenciado conmocionada cómo Brian la había traicionado.

Se había convertido en esposa del gran sultán. Y eso significaba que nunca volvería a ser aquella Cleo, patética y humillada.

–Debéis de estar de broma –había dicho su nueva cuñada, Amira, cuando le habían dado la noticia poco después de que Khaled le hubiera hecho su proposición de matrimonio–. Muchas felicidades –había añadido, después de que su hermano le hubiera respondido algo en voz baja en árabe. Pero, a pesar de sus palabras, había clavado los ojos en Cleo con cierto aire de desprecio–. Espero que todos vuestros deseos se realicen.

También la familia de Cleo en Ohio se había quedado atónita cuando los había llamado para contarles la noticia y los había invitado a Jhurat a conocer al hombre que la había enamorado, diciéndoles que no pensaba volver a casa.

–¿No tienes permiso para venir a casa? –le había preguntado su hermana mediana por teléfono con tono melodramático–. He visto muchas películas sobre sultanes árabes...

–Puedo ir adonde quiera –había contestado Cleo, armándose de paciencia–. Pero no quiero ir a ninguna parte.

–Es todo como muy nuevo, ¿verdad? –había comentado la madre de Cleo cuando había ido a verla, un mes después de su compromiso con Khaled–. Es como un cuento de hadas, con palacio y todo. Aunque me parece demasiado pronto, después de lo de Brian.

–Es una manera excelente de demostrar a Brian lo que se pierde –había opinado su hermana Marnie, que no había dejado de arquear las cejas con sorpresa desde que había aterrizado en Jhurat–. Si quieres pagar un precio tan alto, claro.

–Si no puedes alegrarte por mí, ¿podrías, al menos, intentar ser educada? –le había reprendido Cleo, sintiéndose sola e incomprendida por su familia.

–Si tú eres feliz, nosotros nos alegramos –le había asegurado su padre, dando por zanjada la conversación como siempre solía hacer.

–Yo creo que el amor a primera vista es genial –le había dicho vía Skype desde Nueva Orleans su mejor amiga, Jessie, a quien Cleo conocía desde niñas–. Pero no hay por qué casarse tan pronto. ¿Por qué no esperas un poco? ¿Qué prisa tienes?

–No hay prisa.

–Apenas lo conoces. Te lo digo con todo mi cariño.

–Quiero hacer esto –se había defendido Cleo. Y era cierto–. Quiero hacerlo más que nada en el mundo.

–De acuerdo –había respondido Jessie, mirándola con preocupación–. Pero también habías querido casarte con Brian.

–Jessie, necesito que me apoyes –había replicado Cleo con fiereza–. ¿Puedes apoyarme, por favor?

Su mejor amiga había asentido, había sonreído y no había vuelto a mencionar a Brian.

Sin embargo, todos aquellos comentarios de sus familiares y conocidos no habían sido nada comparados con lo que había dicho la prensa sobre el repentino romance de una americana con un apuesto sultán oriental.

Los periodistas habían investigado a fondo sobre su vida. Habían publicado fotos embarazosas de su pasado, acompañadas de artículos en los que había habido más fantasía que realidad. Habían hablado con personas que aseguraban ser viejos amigos de Cleo y la habían pintado como una especie de virgen sacrificada ante un rey bárbaro. Habían especulado sobre su vida y la habían llamado la nueva Grace Kelly. Incluso habían aireado una foto suya vestida de vampiresa en Halloween, en su último año de instituto, que estaba segura que había sido filtrada por Brian.

–Esto es horrible –se había quejado Cleo a Khaled una noche, durante la cena–. ¿Cómo lo pueden sobrellevar los famosos? ¿Y tú?

–Yo nunca me he vestido de vampiresa –había respondido él en tono seco.

–Era una foto privada –se había defendido ella, avergonzada porque Khaled la hubiera visto–. Pero eso no importa.

–No –había dicho él, tomándole la mano–. La mayoría de los famosos prefieren ignorar las historias que la prensa inventa sobre ellos. Te aconsejo que hagas lo mismo.

Entonces, el sultán la había mirado con sus ojos profundos, distantes y, al mismo tiempo, tan cercanos.

–Pero me siento asediada. Me hace sentir como una presa de caza...

–Es injusto, claro –había afirmado él con un tono brusco que ella no había entendido–. Pero la obsesión del mundo con mi prometida... contigo beneficia a Jhurat. Eres nuestra Grace Kelly. Y eso nos convierte en Mónaco, que es justo lo que necesitamos. Espero que lo comprendas.

En una ocasión, Khaled le había advertido de que el deber era lo más importante en su vida. En ese momento, al recordarlo, Cleo había sentido un escalofrío.

–Por supuesto –había asegurado ella–. Claro que lo entiendo.

Cleo quería ser parte de aquella maravillosa fantasía. Quería ser la elegante americana que había conquistado a un sultán, el personaje del que hablaban las revistas. Quería ser feliz y abrazar su cuento de hadas, por muy poco realista que fuera. Se lo merecía.

–¡Vaya, quién lo iba a decir! ¡Sí que estás elegante! –le había espetado Marnie cuando la había visto vestida para cenar en Jhurat. Pero más que un cumplido, su sorpresa resultaba hiriente.

–Voy a casarme con un sultán –le había respondido Cleo, furiosa, acordándose de las ropas amplias, andróginas y poco favorecedoras que había llevado cuando había vivido en Ohio–. Debo estar a la altura, ¿no crees?

Si Brian le había criticado en su día el no ir arreglada, Khaled no lo permitiría, aunque fuera solo por el precioso vestuario que le había regalado.

–No debes dejar de ser tú misma –había protestado su hermana Charity.

Pero Cleo había decidido ignorar a ambas.

Muy al contrario, había ansiado hacer realidad el fantástico cuento de hadas que Margery, la jefa de relaciones públicas de Khaled, había vendido a la prensa. Margery le había asegurado que el mundo había estado hambriento de historias románticas con final feliz, ambientadas en palacios y con protagonistas bellos y elegantes.

–¡Tienes un aspecto tan sofisticado! –había exclamado Jessie una noche, pocas semanas antes de la boda, cuando habían hablado a través de Skype después de que Cleo hubiera asistido a una fiesta benéfica con Khaled–. ¡Pareces una estrella de cine!

Sin embargo, su amiga había sonado un poco desconfiada, más que entusiasmada. Algo que Cleo no había comprendido y había achacado a la conexión de internet y a la larga jornada laboral de Jessie.

–Nunca me había sentido tan hermosa –había confesado Cleo y había sido cierto.

Cuando se miraba al espejo, se veía radiante de felicidad, aunque seguía sin poder creer que aquello estuviera pasando. La vida que la esperaba relucía como las joyas con que la agasajaba Khaled o las sonrisas que le dedicaba.

Sin embargo, ella era la única que sabía que el sultán no había vuelto a tocarla después de aquella noche en el patio y frente a la puerta de los aposentos que todavía ocupaba.

—Dejaremos algo para la noche de bodas —había dicho él, cuando, en una ocasión, ella había intentado ir más allá de los besos.

—¿Y si yo no quiero esperar? —había preguntado ella, desesperada y frustrada.

—Lo harás de todos modos —había contestado él con una sonrisa, acariciándole la nariz con la punta del dedo.

—¿Porque tú lo digas?

—Porque yo lo deseo —había replicado él—. ¿No es bastante?

Habían sido tres meses de agonía, reconoció Cleo, mientras el bullicio del banquete resonaba a su alrededor. Pero, al fin, la espera había terminado. Khaled podía pasarse toda la fiesta hablando con altos mandatarios y grandes empresarios, pues ella entendía que necesitaba mantener relaciones con ellos y aprovechar el interés que su boda había suscitado en Jhurat. Sin embargo, pronto estarían solos. Él se la llevaría de allí y sería suya en todo el sentido de la palabra.

Solo de pensarlo, se le incendiaron las mejillas, llena de excitación y deseo de saborear de nuevo el mismo fuego que había probado hacía tres meses.

—¿Adónde vamos? —preguntó Cleo cuando, por fin, Khaled la tomó de la mano y la condujo fuera del banquete, acompañados por vítores y aplausos del público. Aunque a ella no le importaba adónde fueran, siempre que estuvieran juntos.

–Ya lo verás –respondió él, recorriéndola con mirada ardiente y una sonrisa en los labios–. Aunque te advierto, esposa mía, que puede que no veas mucho más que mi cama.

Capítulo 4

KHALED estaba dispuesto a rendirse al deseo durante una semana. Nada más.

—Tómate más tiempo —su padre le había aconsejado en uno de sus escasos momentos de lucidez—. Todos los matrimonios necesitan tiempo para recuperarse del torbellino de la boda. Hace falta más de una semana.

—Gracias por el consejo, padre —había respondido él, aunque la opinión de su padre era lo último que tendría en cuenta a ese respecto—. Pero solo puedo permitirme una semana.

La clase de matrimonio que el sultán necesitaba no incluía la ardiente pasión que bullía entre ellos, haciendo imposible que se concentrara y obligándole a cuestionar sus propias decisiones. La había cortejado con un propósito, se había apresurado a llevarla al altar, la había convertido en la viva imagen de una princesa de cuento de hadas ante el mundo... pero ya estaba hecho y era hora de cambiar de dirección. Debía cosechar los beneficios que su matrimonio había llevado a Jhurat y distanciarse de una esposa demasiado tentadora antes de repetir los mismos errores de sus padres.

Pero, primero, se permitiría siete días de placer. En ese tiempo, fingiría ser un hombre diferente y se sumergiría en la dulce miel de su esposa americana. Contemplaría cómo ella se retorcía en el clímax una y otra vez, hasta caer exhausto.

Había sido un egoísta al arrastrarla a su mundo. Y era un egoísta por querer saborearla y perderse en ella durante un tiempo para, luego, volver a la realidad y poner los límites necesarios.

Sin embargo, también albergaba ciertas dudas.

—No debería haberme tomado la semana entera —había murmurado Khaled a Nasser después de una reunión con tres grandes magnates texanos hacía unas semanas. Ignorando la actitud de superioridad de los americanos, había hecho negocios con ellos y los había invitado a su boda—. No puedo dejar mis asuntos ni un solo día.

—¿Cómo dice el proverbio? —había replicado Nasser—. El matrimonio es como un castillo asediado. Los que están fuera quieren entrar y los que están dentro...

—Los que están dentro quieren salir —había concluido Khaled con impaciencia—. Entonces, me entiendes.

—Confieso, Excelencia, que estaba pensando más bien en tu desafortunada prometida —había contestado Nasser con tono suave.

Khaled sabía que lo que iba a hacer no estaba bien. Sabía que se estaba mintiendo a sí mismo. Pero el aplastante deseo que sentía por esa mujer había llegado a su culmen.

Si no la tomaba pronto, acabaría estallando.

No obstante, solo se permitiría a sí mismo tenerla durante una semana.

En ese tiempo, ahogaría la lujuria que lo había poseído desde que ella se había derretido entre sus brazos en el patio de palacio, sorprendiendo y despertando el más hambriento deseo. Cuando se saciara de ella, podría centrarse en sus obligaciones sin que sus carnales pensamientos lo molestaran en los momentos más inoportunos.

Durante esos siete días, fingiría amarla, cuando sabía que eso no era posible. Para él, solo existía el deber.

Había dado a sus aliados occidentales buenas razones para invertir en los recursos de Jhurat, al hacer que su boda fuera la culminación de miles de fantasías románticas. Gracias a ella, su país parecía un reino deseable y accesible, en vez de lejano y temible. Era hora de ponerse manos a la obra e intentar salvar a Jhurat de sí mismo. El deber era lo único que importaba, no su matrimonio.

En ese momento, repitiéndose que solo necesitaría una semana para saciarse de ella y dejar atrás la pasión que lo embargaba, Khaled vio cómo su helicóptero despegaba hacia el desierto. Atrás quedaban la ciudad y el palacio, entre los vítores de los asistentes a la boda real.

Cada vez que Cleo lo miraba, algo se incendiaba en él. Y seguía incendiándose a pesar de que ella se había dormido, mientras el helicóptero surcaba el cielo del desierto nocturno. Para tranquilizarse, Khaled se dijo a sí mismo que era solo la promesa del sexo que compartirían lo que hacía que su corazón se acelerara de aquella manera.

No era su piel cremosa, cubierta con delicadas telas de seda, ni su cuerpo esbelto, ni su mirada inteligente, su suave boca, su risa sensual y fresca. No era por su gracia innata, que quedaría reflejada en miles de fotos en revistas del corazón de todo el mundo.

En ese momento, solo una cosa le importaba. Pronto la haría suya.

Cuando aterrizaron en el pequeño oasis privado de la familia, Khaled la tomó en sus brazos y la condujo a la tienda que habían preparado para ellos. Se sentía como un conquistador, como un rey, como si ella fuera el botín tras una larga batalla. Cleo abrió los ojos, se desperezó y su deliciosa boca esbozó una sonrisa.

Ella sonreía como si se creyera a salvo. Pero Khaled sabía que no era cierto.

Él sabía que lo mejor para ambos sería separarse pasada esa semana. Era el único camino. Había aprendido la lección de sus padres, que habían intentado mezclar deseo y deber y, con ello, solo habían sembrado destrucción. No dejaría que la historia se repitiera.

−¿Dónde estamos? −susurró ella con voz dulce como la miel.

−En un oasis. Aquí nadie nos molestará. Estaremos solos durante una semana.

Solo de pensarlo, el cuerpo de Khaled se endureció con el más fiero deseo.

–No había estado nunca en un oasis, pero me imaginaba que serían justo como éste –había dicho ella tras un momento, ignorante de las batallas que el sultán libraba en su interior.

A su alrededor, palmeras, melocotoneros y olivos bordeaban las aguas cristalinas. El camino estaba iluminado con cientos de antorchas, dispuestas para recibir al sultán y a su esposa. Y, más allá, nada más que el silencio del desierto y cúmulos de estrellas sobre sus cabezas.

Era como si estuvieran solos en el universo.

Khaled levantó la puerta de tela de la tienda y, tras entrar, depositó a Cleo sobre sus pies con delicadeza.

La observó con intensidad mientras ella miraba a su alrededor maravillada. Bellos tapices colgaban desde el techo al suelo, ricas alfombras, una zona para sentarse, dos vestidores y una cama gigante en el centro.

Cleo se quedó mirándola en silencio.

–Es muy bonito –dijo ella al fin–. Como un sueño.

–Es una tienda básica –repuso él, encogiéndose de hombros.

Cleo le dedicó una sonrisa cargada de humor y, sin esperárselo, él sonrió también.

–Claro, tú eres el gran sultán, acostumbrado a mayores lujos que esto –comentó ella, entre risas.

–¿Has comido? –preguntó él, tratando de sostener las riendas del hambriento animal que, en su interior, no quería más que devorarla hasta quedar saciado.

–¿Comer? –repitió ella, como si nunca hubiera oído esa palabra.

–No te he visto tocar la cena en el banquete. Debes de tener hambre.

–No.

–Cleo –dijo él, despacio–. Compláceme, por favor. Vas a necesitar toda tu fuerza.

Khaled contempló como el deseo encendía las mejillas de ella e iluminaba sus ojos dorados.

–Quizá –repuso ella con seguridad–. Pero te necesito más a ti.

Sin poder contenerse más, el sultán le fue quitando las túnicas una por una, despacio, desenvolviéndola como el regalo que era. Cleo contuvo la respiración, expectante, sonrosada.

–Ten cuidado –advirtió él en voz baja–. Cuando te toque en esta ocasión, no voy a parar. Ni siquiera voy a intentarlo.

Cleo tragó saliva. Sus ojos eran como las estrellas del cielo, grandes y brillantes. Y no había en el mundo que Khaled quisiera más que sentir sus caricias, su sabor, sus hermosos gritos de éxtasis.

–Khaled –susurró ella, casi sin respiración, loca de deseo–. Si no me tocas ahora mismo, podría matarte y sería uno de los matrimonios más breves de la historia –le avisó y sonrió–. Y yo acabaría detenida después de todo, como casi me sucede nada más conocerte.

El sultán rio. Luego, dejó de intentar controlarse. Esa mujer era suya y era hora de demostrárselo.

Sin esperar ni un segundo más, la tomó en sus brazos y se sumergió en su boca.

Los labios de Khaled sabían a fuego y a pasión.

Él era su destino, pensó Cleo, rindiéndose a la fiebre que la consumía.

Con un solo y húmedo beso, comprendió que, en esa ocasión, el sultán no se estaba conteniendo, como había hecho en los breves besos que habían compartido durante esos tres meses.

Él deslizó una mano entre el pelo de ella, sujetándole la cabeza para devorarla a placer con lengua, dientes y labios.

Al rojo vivo, Cleo se sintió embriagada, adicta a su fuego, tanto que casi le dolía. Podría quemarse viva allí mismo, pensó, y no había nada en el mundo que quisiera más.

Cuando él apartó sus labios, ella soltó un gemido de protesta, haciéndole reír.

Cleo se derritió al escuchar su risa cargada de seguridad masculina, de poder y certeza.

–Estos has sido lo meses más largos de mi vida –murmuró él con voz ronca–. No es lo que había planeado.

Cleo no supo a qué se refería y, mientras la besaba en el cuello, se dijo que no le importaba. Lo rodeó con sus brazos y se apretó contra él.

Khaled la tomó en sus brazos de nuevo, mirándola con intensidad a los ojos, mientras todo desaparecía a su alrededor.

Instantes después, estaba tumbada sobre la enorme cama y él se tumbaba con ella, invadiéndola con su fuerza y su calor.

–Había planeado tomarme mi tiempo para saborearte –confesó Khaled con ojos brillantes de pasión.

–Creo que ya te has tomado tu tiempo –replicó ella en voz baja, entrecortada–. Tres meses.

Murmurando algo entre dientes, el sultán se colocó encima de ella, levantándole la voluminosa falda del vestido de novia.

Cielos, cuánto lo deseaba Cleo. Nunca había sentido nada así.

Sosteniéndole la mirada, Khaled le colocó la mano en el centro de su parte más íntima.

Cleo sintió su calor como un rayo, prendiéndole fuego. Durante unos momentos, él no se movió. Solo esperó. Hasta que ella comenzó a mover las caderas hacia él, meciéndose contra su mano como si tuvieran voluntad propia.

–Eres hermosa –musitó él y, tras apartarle las braguitas de encaje, le acarició el clítoris.

Unos segundos después, Cleo se sorprendió a sí misma gimiendo y gritando en los brazos del éxtasis. Él la había llevado al orgasmo con una simple caricia.

Igual que en el patio de palacio.

–Khaled –murmuró ella, aunque no tenía ni idea de qué iba a decirle.

Quizá era más una plegaria, pensó Cleo. Khaled rio y, apoyándose en una mano junto a la cabeza de ella, deslizó dos dedos en su húmedo interior.

Entonces, Cleo se volvió loca. Se arqueó con desesperación, entregada a la pasión, sin pensar en nada. Solo en él.

—Ahora, Cleo —ordenó el sultán.

Ella se derritió ante su tono autoritario, entregándose como si fuera el dueño de su cuerpo.

—No puedo esperar mucho más —añadió él.

Y Cleo obedeció.

Una y otra vez, obedeció, estremeciéndose y temblando presa del éxtasis.

Cuando volvió en sí y recuperó la respiración, Khaled estaba encima de ella, apretándola con su parte más dura. A ella se le aceleró el corazón, bajo la hambrienta mirada de él.

—Por favor —rogó ella.

Khaled la penetró en profundidad con una larga y húmeda arremetida, más caliente que la lava.

Cleo gimió. El sultán gimió.

Ella se agarró a él, rodeándolo con las piernas por las caderas, contemplando su hermoso rostro mientras la poseía con lentos y largos movimientos. Enseguida, ella comenzó a temblar en un ritmo frenético, como si no hubiera llegado al orgasmo hacía unos minutos.

—Otra vez —ordenó él.

—No puedo —le espetó ella en un susurro, mientras un volcán explotaba en su interior.

—Nunca me mientas, pequeña —repuso él y la besó, al mismo tiempo que la penetraba con profundidad, haciéndola llegar al éxtasis de nuevo.

Y, en esa ocasión, cuando Cleo estalló de placer

en los brazos del clímax, él gritó su nombre y la siguió.

Cleo había perdido la noción del tiempo cuando Khaled se incorporó y la despojó del vestido. Luego, se desnudó delante de ella.

Admirada, se quedó observando, tratando de ignorar la voz en su interior que le susurraba lo mucho que habían crecido sus sentimientos por ese hombre. Su amante. Su marido.

Con la boca seca, contempló su hermoso cuerpo masculino, todavía más imponente que con ropas. Sus músculos perfectamente perfilados le hacían parecer de metal. ¿Cómo era posible que se derritiera de deseo de nuevo si acababan de hacer el amor?, se dijo ella.

−¿Sabes nadar?

−Sí −contestó Cleo, frunciendo el ceño ante la inesperada pregunta−. Después de cumplir dieciséis, fui socorrista en la piscina durante cinco veranos, al menos.

−Gracias al Cielo. Ya me siento a salvo.

Cleo quiso sonreír, pero había algo que la hacía sentir incómoda, algo que no comprendía.

−Nunca pensé que mi marido sería un extraño para mí −afirmó ella sin pensarlo y, al instante, al escuchar sus propias palabras, se quedó paralizada.

Khaled le dedicó una mirada feroz e imperiosa, tanto que ella se incorporó en la cama, cubriéndose con las sábanas. No quería parecer una gatita saciada y expuesta, cuando su corazón sentía tanta desazón.

–Te dije que debías comer –señaló él tras unos minutos con tono frío–. El hambre afecta al humor.

–No soy una niña.

En su espléndida desnudez, Khaled parecía un dios guerrero y poderoso, bañado por la luz de las antorchas.

Entonces, Cleo se reprendió a sí misma por intentar buscar lo negativo de la situación. Aquello era un final feliz, se repitió. Y, cuando él la tocó, no pudo pensar en nada más que eso.

–Ven –pidió él–. Tenemos mejores cosas que hacer esta noche que buscar fantasmas donde no los hay, Cleo. Deja que te lo muestre.

Sin saber por qué, Cleo tuvo deseos de acurrucarse sobre sí misma y llorar.

El sultán se inclinó y volvió a tomarla en sus brazos, hasta que sus rostros quedaron casi pegados. Maravillada por estar junto a aquel hombre perfecto, ella deseó cosas que ni siquiera era capaz de nombrar.

–Puedo caminar.

–No quiero que camines, por eso estás en mis brazos.

–¿Y todo debe ser como tú quieres?

–Claro –repuso él con suavidad–. Soy el sultán.

En vez de molestarse por su arrogancia, por alguna razón, Cleo se sintió reconfortada. Lo rodeó con un brazo por los hombros, mientras él la sacaba fuera de la tienda.

–¿No nos verán? –preguntó ella cuando estuvieron bajo las estrellas, desnudos.

–¿Por qué lo dices?

–¡Estás desnudo! ¡Yo solo llevo la ropa interior!

–Han aprendido a no mirar cuando no deben –replicó él con gesto divertido–. A diferencia de ti, Cleo, prefieren no arriesgarse a despertar mi ira.

Poco después, Khaled la depositó en el suelo de una tienda más pequeña, al borde de un estanque en el centro del oasis. Había toallas, almohadas y varias bandejas con comida en mesitas bajas.

–Come –ordenó él–. Luego, nadaremos bajo la luna. Y te haré gritar mi nombre bajo el cielo estrellado hasta que te quedes sin voz.

El sultán sonrió entonces, mirándola mientras se acomodaba junto a una mesa y se estiraba. Su cuerpo desnudo era la viva imagen de la perfección masculina.

Y era suyo, se recordó Cleo. Aunque, en la práctica, no sintiera lo mismo que había previsto durante aquellos tres largos meses de soñar despierta.

–¿Y si yo quiero hacerte gritar a ti? –preguntó ella, sentándose a su lado, delante de las bandejas llenas de deliciosas viandas. Al verlas y olerlas, se dio cuenta del hambre que tenía.

–Puedes intentarlo –le retó él, mientras se servía un plato–. Pero, si lo que quieres es competir conmigo, debes saber que no me preocupa perder.

Cleo dio un mordisco a un pedazo de pan de pita y suspiró ante su exquisito sabor. Lo untó con humus y se metió en la boca unas cuantas aceitunas. Estaba todo riquísimo, como era de esperar, se dijo.

–¿Significa eso que nunca pierdes? ¿O que eres un buen perdedor?

–¿Es esto lo que tengo que esperar de mi matrimonio? –preguntó él con voz suave y heladora–. ¿Una esposa irrespetuosa que me provoca a la primera oportunidad?

–Solo cuando tenga hambre –contestó ella y sonrió, intentando suavizar la tensión. Aliviada, vio que él también sonreía.

Entonces, Cleo se dijo que no debía preocuparse porque fueran todavía extraños el uno para el otro. No eran las primeras personas del mundo que se casaban sin conocerse del todo y no serían las últimas. Además, ¿qué tenía de bueno conocer a alguien? Podía ser todo mentira. Ella lo había aprendido en su experiencia con Brian, después de haber salido con él durante años.

Pensar en Brian allí le pareció una obscenidad, así que se lo sacó de la cabeza de inmediato.

Lo que importaba era lo que la unía a Khaled. Podía sentirlo en el aire. Por su parte, era una mezcla de deseo, admiración, descubrimiento y, sí, una clase de amor que no había sentido nunca. Y no podía pensar en ninguna razón que explicara que él se hubiera casado con ella si no sentía lo mismo, se aseguró a sí misma.

Durante la cena, el sultán permaneció en silencio. Era un hombre muy poderoso, con tremendas responsabilidades. Era normal que no fuera demasiado abierto ni expresivo con sus sentimientos, caviló Cleo.

Pero, cuando la tocaba, todo se transformaba en magia.

¿Qué más quería ella?

Después, se zambulleron en las aguas oscuras

con la luna brillando sobre ellos. Khaled la alcanzó en una de las orillas y la besó con la misma ferocidad de hacía unos momentos. Entonces, la levantó en sus brazos y se deslizó dentro de ella, haciéndole gritar de placer.

En esa ocasión, no fueron lentas arremetidas. La poseyó en profundidad y con fuerza, marcándola con su fuego.

Khaled rio cuando ella gimió. La arqueó hacia atrás, haciéndola sentir tan grácil como una bailarina en las aguas plateadas por la luna. Enseguida, cuando comenzó a devorarle un pezón con sus labios ardientes, los gemidos de Cleo se convirtieron en una demanda desesperada.

—No puedo... —balbuceó ella.

—Dí mi nombre —ordenó él y le mordió con suavidad el pezón—. Dilo, Cleo. Grítalo.

Estremeciéndose de placer, Cleo no puedo evitar obedecerlo. Lo único que ansiaba era complacerlo. Gritó su nombre como una plegaria a la luna, al agua y al desierto que los rodeaba.

Entonces, comprendió que lo amaba mucho más de lo que sería recomendable, más allá de cualquier límite. Entendió que lo había querido desde el primer instante en que lo había visto, parado ante ella como un dios feroz en medio del callejón.

Cuando Cleo volvió en sí después de su orgasmo, Khaled la estaba esperando, todavía duro y caliente dentro de ella, contemplándola con los ojos inundados de pasión.

—Otra vez —pidió él—. No has gritado lo bastante fuerte. Los árboles siguen en pie, ¿lo ves?

–No me gusta gritar –susurró ella.

–Lo harás –le aseguró él, devorándola con sus brillantes ojos negros.

–No sé cómo.

El sultán sonrió y comenzó a moverse de nuevo, con más lentitud. Estableció un ritmo suave, letal y embriagador, mientras ella cerraba los ojos.

–La práctica hace la perfección –afirmó él.

Y, a continuación, le demostró a qué se refería.

Capítulo 5

DE REGRESO a palacio, a Cleo le esperaba mucho quehacer como esposa del sultán.

Todos los días, daba clases de árabe, de Historia de Jhurat, protocolo y etiqueta. El resto del tiempo lo dedicaba a las muchas organizaciones benéficas que requerían la atención de la nueva mujer del gobernante. Tenía que asistir a interminables pruebas de vestuario, a reuniones con las esposas de los altos mandatarios que se encontraban con su marido y visitar todos los lugares que el sultán creía dignos de su conocimiento y patronazgo.

Era una buena vida, se dijo a sí misma. El cuento de hadas seguía su curso y ella estaba decidida a cumplir con sus deberes lo mejor posible.

–Eres muy popular entre la gente –Khaled le había dicho días después de volver del idílico oasis, cuando ella se había quejado de que estaba cansada de no ser más que un apéndice distante del sultán. Luego, la había rodeado con sus brazos y la había besado, como si no hubiera podido resistirse a ella–. No cuesta nada sonreír y saludar, ¿verdad?

El sultán creía que Cleo podía hacerlo y, por lo tanto, ella también lo creía.

Esa tarde, había visitado un refugio para niños

abandonados y había practicado sus nociones de árabe al participar en la ceremonia de inauguración de una nueva escuela.

De regreso a palacio, estaba revisando la lista de obligaciones que la esperaban en el mes próximo, mientras fruncía el ceño. Margery, la relaciones públicas del sultán, se la acababa de enseñar en el asiento trasero del coche blindado.

–No puedo hacerlo todo –protestó Cleo, mirando cómo todas las casillas del calendario estaban repletas con anotaciones a mano de Margery. ¿Por qué no se sentía feliz?, se reprendió a sí misma. Estaba viviendo su cuento de hadas, no tenía por qué quejarse. Aun así...–. Todas las noches están ocupadas.

A su lado, Margery la observó con aire de condescendencia y arqueó una ceja.

–Ya hemos enviado la confirmación de su asistencia a todos los eventos anotados, señora. Sería un poco *extraño* echarnos atrás ahora.

Por la forma en que Margery pronunció la palabra, Cleo comprendió que «extraño» quería decir «por completo inaceptable». Cada día que pasaba, notaba la enemistad de la relaciones públicas, que parecía dispuesta a contrariarla y no tomar en cuenta sus necesidades en ningún momento, sin importarle con quién estuviera casada.

–Puedo renunciar a cenar con mi esposo de vez en cuando –dijo Cleo, sintiendo un nudo en el estómago. En realidad, sus cenas con Khaled habían sido muy escasas en las últimas semanas. Las pocas veces que se habían reunido para cenar habían terminado desnudos, haciendo el amor, y no habían comido de todos modos–. Pero no todas las noches. A él no le gustaría.

Cleo odiaba tener que usar a Khaled para defender su punto de vista.

Margery no levantó la vista de los papeles que siempre tenía en la mano, en los que siempre tomaba notas que no compartía con Cleo.

–Su Excelencia ha aprobado su calendario en persona –afirmó Margery con tono frío.

Cleo parpadeó ante aquella inesperada respuesta que le sentó como si hubiera recibido una bofetada, pero se cuidó mucho de demostrar sus sentimientos. Había aprendido que, en su nueva vida, había espacios muy privados donde podía hacer y decir lo que quería, pero en cualquier otra parte debía contenerse.

De pronto, además, comprendió que Margery trabajaba para Khaled, no para ella. ¿Cómo no se había dado cuenta antes?

–¿Cuándo eres el sultán y cuándo eres un hombre? –le había preguntado Cleo a Khaled un día en el oasis, cuando habían estado tumbados junto al estanque, envueltos por el sonido del viento en las palmeras. Él todavía estaba dentro de ella, poco después de haber hecho el amor.

–Soy las dos cosas –había respondido él con intensidad, como si hubiera querido advertirle de algo–. El hombre nunca toma una decisión que no beneficie al sultán.

–¿Y le importan al sultán las necesidades del hombre? –había inquirido ella, mientras le había acariciado el vello del pecho con la punta del dedo.

De pronto, ante su pregunta, Khaled se había puesto rígido. Se había sentado y la había puesto a un lado, antes de levantarse y envolverse con una toalla.

El sol lo había bañado de oro, haciéndolo parecer mucho más hermoso.

Y, al mismo tiempo, Cleo había percibido una expresión torturada en sus ojos.

–Solo existe el sultán, Cleo –había afirmado él en tono oscuro–. Solo existe Jhurat.

–¿Ha sido Jhurat lo que acaba de hacerme gritar por tercera vez hoy? –había preguntado ella, intentando hacerle reír–. Yo creo que has sido tú.

Apretando los labios, Khaled se había limitado a menear la cabeza.

–Recuerda lo que te he advertido. Recuerda que nunca quise hacerte creer lo contrario, Cleo.

Pero Cleo lo había olvidado en el momento en que la había tomado en sus brazos de nuevo. Cada vez que la tocaba, ella olvidaba que apenas lo conocía y que se había casado con una fantasía.

Sin embargo, en ese momento, sentada junto a Margery en el coche, recordó sus palabras. El cuerpo se le quedó helado de golpe, aunque se guardó mucho de demostrar nada bajo la escrutadora mirada de la otra mujer.

–De acuerdo. Entonces, me parece bien –murmuró Cleo, volviendo la cara hacia la ventanilla y fingiendo indiferencia–. Gracias.

Al parecer, Cleo sabía cómo simular estar tranquila y segura de sí misma. Al menos, eso decía la prensa de ella. La definían como una elegante y sofisticada mujer, educada y distante, que parecía nacida para su papel de reina.

Así había sido como ella había querido aparecer en la prensa, como la reina de Jhurat y no como una mujer desarreglada y poco deseable, tal y como Brian la había visto. Con Khaled, había empezado de cero, borrando su vida anterior por completo.

Lo malo era que no se sentía tan a gusto en esa nueva vida...

La prensa también aireaba aspectos un poco incómodos de su relación con Khaled y se rumoreaba que, tal vez, la razón de su rápida boda había sido un embarazo.

Entonces, mientras el coche blindado surcaba las calles de Jhurat, Cleo se dio cuenta de que no tenía ni idea de lo que Khaled pensaba respecto a tener hijos. Había varias cosas que ella nunca se había atrevido a preguntarle, demasiado preocupada por vivir aquel sueño al máximo.

Nunca lo había lamentado antes pero, en ese momento, sí.

Margery continuaba hablando sobre sus citas para el día siguiente, aunque Cleo había dejado de escucharla. ¿Conocía a Khaled en realidad?, se preguntó a sí misma. ¿Y quería conocerlo?

El hombre con quien ella creía haberse casado nunca habría aprobado sin reservas que fueran a estar un mes entero sin cenar juntos. O, por lo menos, no lo habría hecho sin consultarlo con ella.

Sin embargo, había muchas cosas que Khaled no consultaba con ella.

Cleo había esperado mudarse al dormitorio del

sultán, con él, al regresar de su semana en el oasis. No había podido ocultar su decepción cuando él le había indicado que seguiría en sus aposentos de antes de la boda, en el ala opuesta de palacio, como si fuera una invitada en vez de su mujer.

—¿No vamos a dormir en la misma habitación? —había preguntado ella, atónita. Después de haber pasado una semana pegada a él, se sentía adicta a su cercanía, a su contacto.

—Solo pienso en tu comodidad —había contestado él con suavidad, aunque sus ojos habían estado cargados de oscuridad—. Me quedo levantado hasta altas horas de la noche. No quiero interrumpir tu sueño.

—Me gusta que interrumpas mi sueño —había protestado ella, frunciendo el ceño. Y había recordado aquella mañana en la tienda en el oasis, antes del amanecer, cuando había abierto los ojos para verlo sobre ella, poseyéndola.

La belleza de aquel encuentro la había acunado durante muchas horas después, acompañada del calor del deseo. Su unión era perfecta y embriagadora, como si hubieran sido creados el uno para él. ¿Cómo era posible que Khaled no quisiera verlo?

El sultán había esbozado una sonrisa llena de picardía, con ojos brillantes de deseo, pero había negado con la cabeza, como si el deber hubiera ganado, una vez más, la partida.

—Sospecho que encontraré la forma de despertarte más de lo que debería, sin importar dónde durmamos.

Más tarde, esa misma noche, Khaled había ido a verla a su dormitorio y, consumiéndola de pasión, la había hecho suya una y otra vez. Lo mismo se había repetido casi todas las noches, aunque él siempre desaparecía antes del amanecer.

–Nadie más te tocará nunca –había susurrado él en un arrebato de pasión–. No soy un hombre civilizado, Cleo.

–No me importa –había musitado ella y, poco después, había estallado en un millón de estrellas de éxtasis.

Sin embargo, las mañanas eran tristes y vacías, porque se despertaba sola. En el momento en que Karima entraba en su habitación para ayudarla a arreglarse, Cleo tenía que desempeñar su papel. La esposa de un sultán nunca tenía días libres.

Pronto, habían dejado de desayunar juntos, como habían estado haciendo en el oasis. Y se habían perdido más de una cena juntos también. Pero eso era comprensible, ya que el sultán era un hombre muy ocupado.

De todas maneras, no poder cenar juntos de vez en cuando era distinto de que las cenas desaparecieran de su horario de golpe.

Esa noche, mientras comía algo sola en sus aposentos, sentada en el balcón, recordó la primera vez que Khaled la había tocado y la había llevado al orgasmo, sin ni siquiera desnudarla. Luego, le había pedido que se casara con él. ¿Qué había pasado desde entonces para que todo fuera tan distinto a como ella había esperado?

Esa noche, más tarde, Khaled se tumbó a su lado, jadeante después de haber hecho el amor. Cleo necesitaba hacerle preguntas y no podía esperar.

Él había entrado en su dormitorio sin apenas llamar, como siempre hacía. Se había quedado un momento parado, contemplándola, como si hubiera estado furioso por sentirse atraído por ella. Acto seguido, la había hecho levantarse del sofá donde ella había estado leyendo y la había besado con ansiedad. El fuego que había prendido entre ellos seguía tan vivo como el primer día.

La pasión que Cleo sentía era tan intensa que temía consumirse y desaparecer en los brazos de él algún día.

En ese momento, estaban tumbados en la penumbra. Khaled estaba a su lado, justo donde ella lo quería. Tal vez, sería infantil quejarse de no verlo más, se dijo, titubeando. Lo último que quería era enojarlo o hacerle pensar que no era capaz de sobrellevar su papel de esposa del sultán.

–Todo el mundo cree que estoy embarazada –señaló ella, dejando de lado sus principales preocupaciones, para no decir nada que pudiera estropear el momento.

Khaled se quedó rígido y dejó de acariciarle el pelo como había estado haciendo.

–¿A qué te refieres con todo el mundo?

Ante su tono frío, Cleo deseó haber mantenido la boca cerrada.

–Quizá, no todos. Pero las revistas del corazón no dejan de hablar del tema.

–¿No acordamos que no ibas a leer la prensa a menos que la jefa de relaciones públicas te presente artículos específicos que debas conocer?

–No acordamos eso, no –replicó ella, un poco furiosa porque, al oír mencionar a Margery, había recordado de pronto su conversación con ella en el coche esa mañana–. Me aconsejaste que no la leyera y yo he tenido en cuenta tu opinión.

–¿Te aconsejé?

A Cleo no le gustó nada el tono frío que él utilizaba, ni el que su cuerpo siguiera rígido.

–No sabía que yo operara como consejero.

–¿Porque no suelen pedirte consejo a menudo?

–Porque todo lo que digo se convierte en ley –afirmó él, incorporándose en la cama–. No dejo que esa basura del corazón entre en palacio, ni mucho menos puedes parar el coche oficial delante de un quiosco para comprarla tú misma. ¿Cómo puedes haber leído la prensa?

–No sabía que tuviera prohibido leer lo que quisiera –señaló ella, diciéndose que él debía de estar bromeando–. Deberías saber que eso me da ganas de suscribirme a todas las revistas de cotilleos de inmediato, en tu nombre.

–Esa amiga tuya –murmuró él con gesto serio, como si no le viera la gracia–. La abogada de Nueva York.

Cleo abrió la boca para corregirle, para recordarle que Jessie vivía en Nueva Orleans, al otro extremo de Nueva York, pero volvió a cerrarla.

–No pierdas el tiempo leyendo la prensa, Cleo –ordenó él–. No merece la pena.

–Tuve en cuenta tu consejo en el pasado, igual que hago ahora –contestó ella tras un momento, cada vez más furiosa–. Creo que tendré que rechazarlo, pero gracias de todas maneras.

Al instante, el sultán se apartó de ella, sentándose en el borde de la cama. Se pasó las manos por el pelo oscuro que a ella tanto le gustaba tocar, dándole la espalda.

–No importa –dijo él–. Estarás embarazada muy pronto y el mundo podrá entretenerse en contar los nueve meses como mejor le parezca.

Cleo sintió un escalofrío y se cubrió con la sábana.

–No planeo quedarme embarazada en un futuro próximo, Khaled –negó ella, hablando bajo y despacio, como si temiera alguna clase de peligro escondido o hubiera una mina a punto de estallar.

–¿No?

–Claro que no. Solo tengo veinticinco años.

Entonces, Khaled se giró hacia ella y la penetró con sus ojos oscuros y cargados de autoridad.

–Eres una mujer adulta –le espetó él con rostro inescrutable–. Y yo necesito herederos –afirmó y, tras un instante de silencio, como si él mismo se hubiera dado cuenta de lo frío que sonaba, añadió: Quiero tener hijos, Cleo. Contigo.

–Pero... –balbuceó ella. No entendía por qué tenía el estómago encogido. Era lógico que su marido quisiera hijos, que se lo pidiera... Pero no se lo estaba pidiendo, sino ordenando–. ¿Ahora?

–¿Por qué no? –preguntó él a su vez, clavando en ella sus poderosos ojos.

Cleo se apretó la sábana contra el pecho, intentando calmarse. No podía obligarle a quedarse embarazada, se dijo.

–Deberíamos haber hablado de ello antes de casarnos. Igual que de muchas otras cosas, como de los horarios y de nuestros dormitorios separados –indicó ella y tragó saliva–. Supongo que, cuando me tocas, no puedo pensar con claridad.

La expresión de Khaled se suavizó, solo un poco.

–Ni yo.

–La buena noticia es que podemos tomarnos nuestro tiempo para decidirlo –señaló ella, sonando más calmada de lo que se sentía.

–Cleo –comenzó a decir él, acercándose hasta colocarse a unos pocos centímetros de su cara–. No hemos tomado nunca precauciones. Pensé que los dos queríamos lo mismo. Pero seamos claros. ¿Quieres tener hijos conmigo?

–Sí –afirmó ella, aunque no podía imaginarse siendo madre de sus hijos–. Pero no...

Cleo no se atrevió a decirle que era demasiado pronto, temiendo que la mirara con desaprobación o desprecio.

–Lo daré por un sí –murmuró él, ante su silencio.

Cuando el sultán se acercó un poco más, Cleo se preguntó si él utilizaba de forma deliberada el fuego que ardía entre ambos para convencerla y someterla a su voluntad.

–Estamos de acuerdo, ¿no es así?

Entonces, Khaled la besó con pasión, tanta que ella no tuvo tiempo de informarle que seguía tomando la píldora.

Tampoco se lo dijo más tarde, cuando él la sonrió satisfecho, como si el conflicto estuviera resuelto.

Cleo no le contó que había tomado una de esas píldoras anticonceptivas cada mañana cuando se había lavado los dientes, igual que había hecho en su casa. Era una de las viejas rutinas diarias que había mantenido al dejar Ohio.

Se lo contaría después, se dijo a sí misma. Y él lo entendería, seguro que lo haría.

Igual que lo comprendería cuando le informara de que no tenía ninguna intención de dejar de tomarlas.

–¿Tan pronto te has cansado del lecho conyugal?

En el pasillo ante la habitación de Cleo, Khaled miró a la figura en las sombras que se acercaba a él. Era su mano derecha, Nasser.

–Eres el único hombre que se atreve a decirme algo así a la cara –le espetó el sultán en voz baja–. Y el único al que no mataré por tal temeridad.

Nasser sonrió.

–Ya lo sé.

Khaled comenzó a caminar hacia su despacho, donde siempre le esperaban obligaciones urgentes.

–Mis deberes no terminan porque me haya casado –señaló el sultán–. Debo velar por el futuro de Jhurat. Tú lo sabes como yo. Y hay una manera muy fácil de hacerlo.

–Ah –repuso Nasser y se quedó un momento en silencio–. Bebés. Eso aseguraría tu derecho al trono, pues Talaat no tiene. Además, el mundo lo aplaudiría. A todos les gustan los finales con familias felices.

–Cuentos de hadas para todos.

Aunque no para él, reconoció Khaled para sus adentros. Aquella semana de placer y pasión en el oasis había sido un error, pues le había mostrado la clase de hombre que nunca podría ser, la clase de vida de la que nunca podría disfrutar.

–Un hombre que tiene el deber de hacer lo que de todas maneras haría por amor, debería ser más feliz, Excelencia –comentó Nasser tras un momento, acompañado por el sonido de sus pasos en el suelo de mármol–. ¿O no?

–No se trata de felicidad –le espetó Khaled, sin poder contener una rabia que no sabía de dónde provenía–. Ni de amor, Dios no lo quiera. Se trata de Jhurat.

–Claro –dijo Nasser con voz suave, lo que significaba que no quería discutir más, aunque tampoco estaba de acuerdo.

Horas después, Khaled escuchaba a medias a su consejo de ministros, formado por viejos hombres que, en su día, habían sido elegidos por su padre. Como siempre, los canosos mandatarios se esforzaban por señalar todo aquello que podía salir mal. Ser fatalistas era su trabajo y él lo sabía.

¡Talaat y sus tropas rebeldes estaban tomando las regiones del campo y el sultán no hacía nada! ¡Talaat instigaría una guerra civil si no se lo impedían!

Khaled no creía que la situación fuera tan dramática como imaginaban los viejos ministros. Aun así, estaba harto de los problemas que Talaat le causaba.

De todas maneras, para su agonía, sus pensamientos apuntaban siempre en la misma dirección. Al contrario de lo que había planeado, no había podido sacarse de la cabeza a su pequeña esposa en ningún momento. Era como una adicción de la que no podía librarse. Cada noche, se prometía a sí mismo que no volvería a su cama al día siguiente, pero nunca lo cumplía.

No conseguía saciarse de ella. Y lo odiaba.

En su semana en el oasis, su deseo por ella no había hecho más que crecer. La actitud desafiante de Cleo lo excitaba, muy a su pesar. Además, ella había despertado a esa parte de sí mismo que había mantenido en la sombra durante tantos años. El hombre, no el sultán.

Pero eso no era lo que Khaled quería. Necesitaba una esposa obediente y sumisa. Sin embargo, una voz en su interior le recordó que, desde el principio, había sabido que Cleo no había sido tal cosa. Cuando la había encontrado en el callejón y se la había llevado a palacio, había sido porque ella lo había desafiado.

Khaled lo tenía todo planeado. Cleo daría a luz a sus herederos. Luego, los criaría en el palacio de verano, junto al mar, como su propia madre había hecho con él y con Amira, donde el clima era más suave. Allí, crecerían sanos y salvos, lejos de él.

De esa manera, el sultán sería libre para perderse en sus interminables responsabilidades como siempre había hecho. Como su padre y su abuelo habían hecho antes que él.

Entonces, recostándose en su silla, se preguntó qué pasaría si dejara de intentar controlar a Cleo, si dejara de luchar consigo mismo y sus deseos. ¿Y si se permitiera ser un hombre común y dejara de intentar alejarla de él?

Pero Jhurat era su vida. Y acabaría destruyéndolo, como había hecho con sus padres. Él se había pasado toda su infancia viendo a su madre luchar por las escasas migajas de atención que su padre le había prodigado. ¿Había sido la enfermedad lo que se la había llevado o había sido el dolor del desamor?

Al mismo tiempo, su padre había intentando complacer tanto a su mujer como a su pueblo y había fracasado.

Jhurat había sido como una maldición para su familia desde hacía cinco generaciones. Pero, a pesar de todo, Khaled amaba ese lugar y amaba a su pueblo. Amaba cada grano de arena del desierto, cada piedra de sus viejas ciudades amuralladas.

Jhurat formaba parte de él.

Por eso, no había cabida en su corazón para una mujer de ojos dulces como la miel y sonrisa como el sol. Nada podía equipararse a Jhurat. No había espacio para ese peligroso deseo que lo abrasaba, incluso después de haberse pasado toda la noche saboreando su cuerpo.

Por qué cada noche volvía a los brazos de su mujer, era un misterio que Khaled no podía descifrar. Sabía que, sin duda, ese día también lo repetiría, como un tonto obsesionado.

Cleo era un medio para conseguir un fin, nada más, se repitió a sí mismo. Y tenía que quedarse embarazada, pronto. Así, él podría poner un poco de distancia entre ambos.

–¿Qué tal te va la vida con mi querido hermano? –preguntó Amira en el desayuno una mañana, sin ocultar su tono de desprecio.

Amira había vuelto a casa del internado para pasar las vacaciones de invierno. Y, a pesar de que la adolescente no disfrazaba su enemistad hacia Cleo, ella se alegraba de tener a alguien con quien compartir sus desayunos.

Sin embargo, no supo cómo responder a su pregunta. Habían pasado unos meses desde que había mentido por omisión al sultán acerca de la píldora anticonceptiva y nada había cambiado. Apenas veía a Khaled durante el día, pero sus encuentros nocturnos seguían siendo tan intensos como siempre, incluso más.

Ella se había convertido en una experta a la hora de ignorar todas las dudas y ansiedades que la asaltaban bajo la superficie de su vida perfecta, de su cuento de hadas.

–De maravilla –respondió Cleo, sonriendo con benevolencia, aunque sin ganas–. Todo es maravilloso.

Amira dio un respingo.

–No me parece muy propio de mi hermano.

–¿Por qué no me hablas de él? –pidió Cleo con tono ligero. Aunque pretendía distraer a Amira, en realidad, le carcomía saber más sobre el hombre con quien se había casado.

–Khaled es el sultán –dijo Amira con amargura–. Punto y final.

–Entiendes que tiene muchas responsabilidades...

Amira lanzó un forzado suspiro, interrumpiéndola.

–Entiendo que haría cualquier cosa por Jhurat. ¿Crees que se habría casado contigo si no hubiera sido para conseguir algo con ello? Así es él. Si dejas de serle de utilidad, dejas de existir para el sultán. Créeme, Cleo. Yo lo conozco.

–Hay más cosas en la vida que la responsabilidad –señaló Cleo con suavidad–. Incluso para un sultán.

Su cuñada esbozó una mueca burlona que, al instante, se tornó en algo mucho peor: lástima.

–Para Khaled, no. Él es Jhurat y eso lo matará, igual que mató a nuestra madre. Jhurat volvió loco a nuestro padre, volvió a nuestro primo contra el trono y ha causado infinito sufrimiento a nuestra familia. Khaled está maldito. Tú deberías saberlo mejor que nadie, Cleo.

–Quizá no conoces a tu hermano tanto como crees –replicó Cleo, mientras, sin darse cuenta, apretaba tensa el tenedor entre los dedos.

–Y quizá tú no lo conoces en absoluto –murmuró Amira y, en esa ocasión, su tono no fue cortante ni provocador, sino sincero.

Capítulo 6

VARIAS noches después, Cleo al fin pudo quedarse a solas. Dejó a la dictatorial Margery en su despacho y subió a sus aposentos, donde se encerró en las espaciosas y lujosas habitaciones que eran solo suyas. Allí, nadie podía observar si sonría, ni juzgar sus comentarios, ni tratar de adivinar si el color de su piel significaba que estaba embarazada de gemelos.

Cuando, al fin, estuvo a solas, no tuvo ganas de sonreír. Sin embargo, tampoco quiso rendirse a los negros nubarrones que se cernían sobre ella, ni a la vocecilla que, en su interior, le susurraba que Amira había tenido razón en el desayuno.

Por mucho que quisiera negarlo, había cometido un terrible error, se dijo a sí misma.

Pero no se permitiría llorar.

Cleo se quitó el elegante vestido que Margery le había elegido y que Karima le había ayudado a ponerse, sin contar en ningún momento con su opinión. Luego, se puso la bata de seda que solía llevar en lugar de sus antiguas ropas cómodas de andar por casa. Con ayuda de una banqueta que llevó desde el dormitorio, alcanzó la balda más alta del vestidor y bajó su vieja y gastada mochila de su escondite.

Entonces, sintió todo el peso de la angustia de golpe, aplastándola con tanta fuerza que estuvo a punto de caerse de la banqueta.

Sin embargo, se alegraba de todo corazón de haber insistido en que Karima guardara sus antiguas ropas en su mochila en vez de deshacerse de ellas. Ignorando los latidos acelerados de su corazón, abrió la cremallera y sonrió al ver aquellos trapos tan familiares y cargados de recuerdos. Eran sus ropas de viaje. Algunas las había comprado en Estados Unidos y le recordaban a su hogar y a Brian. Otras tenían el sabor de la aventura, de todos los viajes que había hecho como una mujer intrépida y decidida a que nadie volviera a engañarla nunca más.

Eran ropas que no había vuelto a llevar desde que había llegado a Jhurat. Había cambiado su disfraz de viajera aventurera por el de mujer del sultán, como si no fuera más que un camaleón, como si nada fuera real, caviló.

Cuando dejó caer la mochila en un rincón, Cleo frunció el ceño al escuchar el sonido de algo sólido chocando con el suelo. Curiosa por saber qué podía haber hecho ese ruido, se agachó a su lado para rebuscar en los bolsillos.

Eran un teléfono móvil y un cargador, nuevos para ella.

Después de quedarse largo rato mirándolos, volvió al dormitorio y encendió su portátil. Mientras pinchaba en el icono de Skype, se dio cuenta de todo el tiempo que había pasado desde la última vez que había hablado con Jessie. Titubeando, pinchó en el nombre de su amiga para ponerse en contacto con ella...

Jessie contestó a la primera, a pesar de que era media mañana en Nueva Orleans y estaba en el trabajo. A Cleo se le encogió el estómago todavía más. Le resultaba difícil mirar a su mejor amiga, que la contemplaba al otro lado de la pantalla con gesto de preocupación.

–Encontré el teléfono –dijo Cleo por todo saludo, tratando de evitar temas espinosos, como la razón por la que llevaba meses sin ponerse en contacto con su amiga, a pesar de todos los correos electrónicos que Jessie le había enviado–. ¿Un regalo de boda?

–¿Estás enfadada? –preguntó Jessie, acercándose más a la pantalla–. Era una manera de recrear nuestros años de juventud.

–¿Teníamos teléfonos secretos? Recuerdo haberme escapado de casa una noche para ir a un concierto y otra, para ir a ver a ese chico que te gustaba. Pero no recuerdo nada de teléfonos secretos.

–Fingíamos tenerlos –afirmó Jessie y suspiró, como si no pudiera creer que su amiga lo hubiera olvidado–. Por eso eran tan secretos.

–¿También tú tienes uno ahora? –preguntó Cleo–. ¿O es solo para mí? –añadió, intentado utilizar un tono de broma. Sin embargo, sintió un nudo en el estómago al ver cómo Jessie la observaba.

–Siempre me ha gustado tener una vía de escape, Cleo –señaló Jessie con suavidad–. Tú lo sabes.

–Supongo que es por tu oficio.

–No, es porque crecí con cuatro hermanos mayores que creían que era divertido encerrarme en mi cuarto cada vez que les resultaba molesta –explicó

Jessie con una sonrisa–. ¿Cómo está mi recién casada favorita?

Cleo pensó en contárselo. Jessie era la única persona a la que estaría dispuesta a hablarle de la sombría pesadumbre que atenazaba su pecho... pero no se sintió capaz de hacerlo.

Sus sentimientos por Khaled eran demasiado intensos. Por eso, no se atrevía a quejarse. Nunca había querido tanto a nadie.

Había creído amar a Brian, pero eso había sido una ridiculez comparado con lo que sentía en ese momento.

No podía imaginarse la vida sin Khaled. Quizá, en su cuento de hadas no era tan feliz como había imaginado ser, pero no podía renunciar a él de todas maneras.

–A veces, es difícil separar al sultán del hombre –admitió Cleo en un susurro, sintiendo que, en cierta manera, estaba traicionando a su esposo.

Jessie la miró a los ojos como si adivinara todo aquello que Cleo se estaba guardando para sí misma.

–Escúchame. Eres la persona más valiente que conozco. No aceptaste lo que te hizo Brian, como habría hecho otras personas, sobre todo, pocos días antes de la boda. Lo dejaste plantado y te pusiste el mundo por montera. Te casaste con un hombre que da miedo y, encima, es rey. No hay nada que no puedas hacer si te lo propones.

–Tienes razón –reconoció Cleo, respirando hondo–. Lo hice.

Esa fue la razón por la que, después de ponerse al día con su amiga y prometerle mantenerse en contacto, Cleo decidió que iba a hacer algo para cambiar las cosas. Desde su semana en el oasis, apenas había abierto la boca para protestar. Había estado demasiado ocupada siendo la mujer perfecta del sultán, en vez de ocuparse de ser ella misma.

Tenía que construir su vida, su futuro, su matrimonio. Porque se negaba a aceptar que casarse con el sultán había sido un error. Amira y Margery no conocían toda la verdad sobre Khaled y ella.

Podía haberse casado con Brian, como todo el mundo le había aconsejado. Sin embargo, no lo había hecho. Había querido una vida mejor. Había querido ir en pos de su cuento de hadas y lo había encontrado. Había hallado a Khaled.

Y lucharía por él.

Cleo esperó a que fuera más tarde y todos estuvieran acostados en palacio. Se dirigió al ala privada del sultán, cruzó la antecámara donde, como había aprendido en sus lecciones de Historia, los sultanes antiguos de Jhurat habían recibido a sus consejeros. Era más hermosa de lo que había esperado y un poco abrumadora. Pero se obligó a continuar a pesar de la incomodidad que se estaba apoderando de ella. Abrió la puerta que conducía al dormitorio de Khaled y entró.

Tenía todo el derecho del mundo a estar allí, se recordó a sí misma, levantando la cabeza. Se trataba de su matrimonio.

La habitación tenía todo el aspecto del santuario privado de un sultán, pensó, mirando a su alrededor. Terciopelo rojo, maderas oscuras, exquisitos muebles y decoración con siglos a sus espaldas. Y, en el centro, una cama enorme que parecía más un monolito o un escenario que un lugar de descanso.

Era allí donde pensaba esperar a su marido. Porque era una mujer valiente y tenía que luchar por su final feliz.

Sin pensárselo más, se desnudo y se metió entre las suaves sábanas.

–¿Qué estás haciendo aquí?

Aunque habló en voz baja, Khaled la sobresaltó como un trueno, despertándola.

Durante un momento, Cleo tardó en recordar dónde estaba.

Era el dormitorio de Khaled, su cama. Y ella estaba desnuda.

–No pretendía dormirme –murmuró ella.

Entonces, se dio cuenta de que él la observaba rígido, con los brazos cruzados y una mirada desaprobatoria y peligrosa. Ella nunca había visto las ropas con que estaba vestido, una camiseta negra ajustada a sus músculos y unos pantalones de chándal oscuros.

–¿Vas al gimnasio? –preguntó ella con la boca seca–. Supongo que eso explica... eso –añadió, señalando a sus fuertes brazos, su abdomen y su pecho esculpidos.

Cleo se incorporó entonces en la cama, dejando que la sábana se le cayera. Pero él no reaccionó como había esperado al verla desnuda.

–Cleo.

A ella no le gustó la forma sombría en que la miraba y el tono seco de su voz. La estaba hablando como si hubiera estropeado algo con su presencia... Pero no, no se dejaría intimidar.

–Te lo preguntaré otra vez. ¿Por qué estás aquí?

–Khaled.

Cleo intentó sonar dulce, cautivadora. Arqueó la espalda, mostrándole los pechos como a él le gustaba.

–Soy tu mujer. Estoy en tu cama. ¿Qué crees que hago aquí?

El sultán la recorrió con la mirada, haciendo que se le endurecieran los pezones como si la hubiera acariciado. La atracción que bullía entre ellos era inconfundible. Abrasadora.

–Si quisiera estar contigo, habría ido a verte –afirmó él con tono helador.

Ella tardó un momento en digerirlo. Se le encogió el estómago y todo su cuerpo se quedó frío.

–¿Qué?

–Veo que no me he explicado –señaló él, mientras una tormenta se dibujaba en sus oscuros ojos–. Este tipo de cosas no me resultan excitantes.

Cleo se quedó mirándolo. Nada tenía sentido. Era la misma sensación que la había invadido cuando había entrado en casa de Brian y lo había encontrado en el suelo del salón con su amante.

O peor.

–He intentado ser comprensivo por nuestras diferencias culturales y de edad, porque provenimos de clases distintas –continuó Khaled con mirada impasible, haciéndola pedazos con cada palabra–. Pero me temo que esto es inaceptable.

Como si acabara de recibir una brutal bofetada, Cleo se sonrojó. Para su alivio, enseguida, la rabia tomó el control de sus sentimientos.

–¿Qué has dicho?

–Estoy hablando de esto –indicó él, señalándola con mirada de desaprobación, paralizado como si fuera de granito–. Estoy hablando de este numerito tuyo.

Entonces, Khaled la miró como ella había temido desde el principio. Con nada más que lástima.

–Quizá es común en Ohio comportarse con tanta vulgaridad, pero en Jhurat espero otra cosa de mi mujer.

Cleo pensó que se derrumbaría en pedazos en ese mismo instante. Sin embargo, enderezó la espalda, animada por la furia.

–Esperaba algo mejor de ti, Khaled. Mucho mejor.

Él parpadeó.

–¿Cómo dices? Soy el sultán de Jhurat. No hay nada mejor.

–Pensé que eras un hombre de bien. Un hombre honorable.

Khaled se quedó tan rígido como una roca, mientras la tensión crecía en la habitación. Cleo se arrodilló ante él como creyó que se esperaba de ella, sintiendo náuseas por no haberse dado cuenta antes de que su cuento de hadas había sido una mera ilusión.

Sin embargo, lo que más le llamaba la atención, lo que más le preocupaba era que Khaled estuviera tan disgustado. Era como si él se sintiera herido de alguna manera.

Haciendo un esfuerzo por no llorar, Cleo tuvo deseos de salir corriendo, dejar atrás a su marido como si fuera un demonio de pesadilla y labrarse una nueva vida lejos de allí.

Pero eso ya lo había hecho en el pasado. Y no parecía que poner distancia física con los problemas sirviera para mucho, se dijo.

—Dime qué es esto —ordenó él tras un instante eterno—. Creí que te había dejado claro que no tolero las faltas de respeto.

—Entonces, respétame —le espetó Cleo, pero se arrepintió al instante, temiendo su respuesta.

Y había tenido razones para temerla.

—¿Respetar qué? —replicó él con gesto implacable y cruel—. ¿A la criatura que chocó con mi hermana en una calleja, en quien no me habría fijado nunca si no? ¿O a la elegante esposa que he creado de cero para satisfacer mis propósitos? ¿Cuál de las dos eres tú, Cleo? ¿A cuál de las dos crees que debería respetar?

—Calla —dijo ella, aplastada por el dolor—. Soy tu mujer.

—Albergas algunos conceptos equivocados respecto a ese papel —prosiguió él, calmado y frío. Su mirada torturada delataba su agonía, sin embargo, no parecía capaz de detenerse, por mucho que la hiriera a ella. O a sí mismo—. Eres solo un peón en mi juego de ajedrez.

—Khaled...

—Mi país había mantenido cerradas sus fronteras durante tanto tiempo que el mundo había empezado a vernos como bárbaros. Es mi deber cambiar esa percepción y el destino de Jhurat. ¿Pero cómo hacerlo? Entonces, apareciste en mi vida. Eras la típica desconocida americana.

Cleo tenía la garganta constreñida, incapaz de articular palabra. De alguna manera, comprendió que había estado esperando que él le dijera aquello desde el día en que le había servido té en palacio.

–Todo en ti es corriente, Cleo, y así es como quería que fueras. Por eso me resultaste conveniente. Te he convertido en princesa de la nada.

Cuando Khaled se acercó todavía un poco más con ojos brillantes de furia, ella se quedó paralizada. Siempre había sido una luchadora y siempre se había defendido a sí misma. Sin embargo, en ese instante, cuando más necesitaba ponerse en pie, lo único que podía hacer era quedarse esperando el siguiente golpe.

–Y has servido tu propósito de maravilla –continuó él, cruel y remoto–. Aunque no puedo dejar que te creas con derechos que no tienes. Eres mi mujer, sí, pero eso para mí solo significa que, antes o después, me darás hijos.

–¿Para qué? –replicó ella, su pregunta cargada con toda la intensidad de su angustia y su miedo a hacerse pedazos–. ¿Para que tengas más criaturas indefensas a quienes imponer tu voluntad?

El sultán esbozó una fría sonrisa que se le clavó a Cleo en el alma como un puñal.

–Si no obedeces, me limitaré a sustituirte.

Justo cuando Cleo había creído que no podía sentir más dolor, sus palabras la hirieron en lo más hondo.

–Khaled –dijo ella, levantando las manos en gesto de súplica. Sin embargo, de alguna manera, sabía que no era una rendición, sino una muestra de fuerza–. Esto se está escapando de nuestro control. No quería disgustarte. Solo quiero estar contigo. Quiero una pareja, un matrimonio de verdad...

–Yo, no.

Claro. Directo.

Cleo abrió la boca y volvió a cerrarla. Al bajar la vista, se dio cuenta de que se había estado apretando las manos con tanta fuerza que se había hecho sangre con las uñas en la piel.

–Pero...

Ella no sabía por qué seguía hablando. No había más que hablar con un hombre que pensaba tan mal de ella.

Aunque quedaba una cosa, un pequeño punto de luz en la oscuridad que merecía la pena decir en voz alta.

Cleo tragó saliva antes de continuar.

–Te quiero.

Sus palabras atravesaron a Khaled como una corriente eléctrica. Se puso rígido, como si acabaran de alcanzarlo con una granada.

Y se llenó de furia y de tristeza.

No tenía elección, se recordó a sí mismo. Las palabras de Cleo habían sido precisamente lo que había querido evitar. Ella no había hecho más que sellar su propia perdición, allí tumbada, desnuda y vulnerable.

Khaled deseó poder ser otro hombre. Quiso no estar encadenado a ese palacio, a ese país, a esa vida que él no había elegido.

–Solo nos conocemos desde hace poco –dijo él, decidido a salvarla de su amargo destino–. Sin duda, volverás a enamorarte igual de rápido.

Acto seguido, Khaled se acercó, justo como había ansiado hacer cuando la había descubierto en su cama con el pelo suelto sobre su almohada y los pechos expuestos en señal de sacrificio a su eterno deseo.

La deseaba, sí, más que el aire que respiraba. Y, si no podía tenerla, haría lo que fuera para que ella lo odiara. Era mejor así. Aunque Cleo no lo comprendiera, era el mejor regalo que podía darle.

Aunque debería haberlo hecho antes, se dijo a sí mismo.

El sultán se acercó a la cama bajo la atónita mirada de ella, mientras las últimas palabras que él le había arrojado todavía reverberaban en el aire. Cleo se echó hacia atrás con torpeza, pero él la sujetó de la barbilla para obligarla a mirarlo.

Ella se estremeció, pero no se apartó.

–Tú lo que quieres es sexo –le espetó él, contemplando cómo su andanada daba en el blanco como metralla envenenada–. Te encanta lo que puedo hacerte solo con tocarte. Diga lo que diga o haga lo que haga, sigues viniendo a mí cada vez que te lo ordeno.

–No –susurró ella con los ojos muy abiertos.

–Ansías que te toque –prosiguió él en voz baja y fúnebre–. Es lo único que te importa.

Entonces, Khaled se lo demostró, posando su otra mano en el pecho de ella y contemplando como el pezón se le endurecía al instante. Mientras ella se sonrojaba, adivinó que se estaba derritiendo por él. Lo deseaba, incluso en ese momento.

–Te quiero –repitió ella con más determinación.

Aquella mujer acabaría con él, pensó el sultán. ¿Cómo era posible que su pasión lo tentara y le hiciera querer olvidar su propia sangre, su deber, su país?

–Cleo, por favor –repuso él con tono helador–. Apenas me conoces. Eres una mujer inexperimentada que, obviamente, nunca había disfrutado del buen sexo antes. No quiero que me conozcas. No quiero que no hagas nada aparte de obedecer.

–Pero no puedo...

–Sí puedes.

Acto seguido, Khaled la besó como un muerto de sed en el desierto, con toda la fuerza de las cosas que ansiaba y sabía que nunca podría tener. La besó como si aquella fuera la última vez.

El fuego que siempre había ardido entre ellos rugió con más fuerza que nunca. Cleo solo necesitó unos segundos para rodearlo con sus brazos y devolverle el beso. Él la tumbó en la cama y se colocó entre sus muslos, su dura erección contra la húmeda suavidad de ella. No había por qué fingir que no estaban desesperados.

Nasser le había advertido hacía tiempo de que le rompería a Cleo el corazón, recordó el sultán. Debería haberlo escuchado. Debería haber comprendido que, al final, si quería proteger a aquella sorprendente mujer que se había abierto camino a lo más profundo de su ser, su propio corazón se haría también pedazos en el proceso.

Sobre todo, al verla llorar.

—No llores —susurró él con voz quebrada por el dolor.

—¿Es una orden, Excelencia? —preguntó ella con amargura, dejándose besar una vez más.

—Cleo...

Khaled no sabía qué decir, aunque ella no le dejó continuar de todos modos. Lo rodeó con piernas y brazos y lo apretó contra su cuerpo, como si quisiera arder con él y, así, olvidar.

Él se frotó contra su parte más íntima, haciéndola estremecer. Luego, inclinó la cabeza y le devoró los pechos con la boca, con las manos, mientras ella se retorcía con gritos cada vez más desesperados, acercándose al clímax...

Entonces, Khaled alargó la mano para quitarse los pantalones que llevaba puestos. Si no la penetraba, se moriría, pensó él. Aunque, esa noche, lo más probable era que muriera de todas maneras...

—¿Y dónde encaja esto en tu frío y miserable concepto de matrimonio? —le espetó ella. En sus ojos, brillaba todo lo que sentía, su dolor y su intenso deseo—. ¿O quieres fingir que esto solo es una manera de procrear?

Sin esperar, Khaled se deslizó dentro de su calor, observando cómo ella se estremecía, los dos envueltos en llamas.

—Compórtate —ordenó él, como si pudiera tener la situación bajo control—. Y esto será tu recompensa. Desobedéceme y esto no será más que un recuerdo.

Para dejar clara su advertencia, Khaled salió de dentro de ella y se quedó quieto en su entrada, ignorando cómo Cleo alzaba las caderas para que la penetrara de nuevo, haciendo caso omiso de cómo gemía su nombre.

No había otra manera de lograr que ella se rindiera, se dijo el sultán.

–Te odio –gimió ella.

Era justo lo que Khaled había querido. Por eso había actuado así esa noche, en vez de dejarse llevar por el animal que llevaba dentro cuando la había encontrado en su cama. Esa era la forma más fácil de salvar a Cleo y él lo sabía.

–Ódiame si quieres –repuso él y la penetró en profundidad. Luego apoyó la boca junto al oído de ella y comenzó a moverse con lentas y exquisitas arremetidas–. No me importa. Pero vas a obedecerme.

Y Cleo lo hizo.

Una y otra vez, hasta que la luz del amanecer comenzó a colarse por las ventanas. Al fin, satisfecho de haberle transmitido su brutal mensaje, Khaled se quedó dormido a su lado como no había hecho desde su semana en el oasis.

Cleo no se durmió. No pudo. Se quedó a su lado, bajo su fuerte brazo.

Estaba destrozada. Su cuerpo vibraba todavía con todas las formas en que la había poseído para demostrarle su poder, sin importar las cosas terribles que le había dicho.

Cleo lo amaba y se odiaba a sí misma por ello.

Entonces, tuvo una certeza indiscutible. No podía seguir haciendo aquello. Una cosa era perderse a sí misma como había hecho durante esos meses, en pos de una fantasía inexistente. Aunque, al menos, había sido ella quien lo había elegido.

¿Pero cómo iba a traer al mundo a un hijo del sultán en esas circunstancias? ¿Qué iba a enseñarle a su bebé? No quería que ningún hijo suyo pensara que era aceptable vivir bajo la autoridad de otra persona, ignorada y humillada.

Khaled era como una droga. Lo deseaba a pesar de todo, aunque le hubiera roto el corazón.

Sin embargo, Cleo comprendió al fin lo que debería haber visto desde el principio: no podía quedarse allí. Había sido un terrible error.

Tenía que irse.

Debía marcharse antes de que él descubriera por qué no se quedaba embarazada, antes de que todo empeorara. Si no lo hacía, acabaría cayendo en su tela de araña, sometiéndose ciegamente a su voluntad. Se olvidaría de quién era y no habría marcha atrás.

Para Khaled, ella solo era un peón, una posesión, un objeto que utilizaba a su antojo.

Tenía que dejarlo mientras todavía pudiera.

Capítulo 7

TU ESPOSA es encantadora! –exclamó el magnate italiano con entusiasmo, mientras sujetaba a Cleo de ambas manos.

Aunque a Khaled no le gustaba el exceso de atención del visitante hacia su esposa, sonrió porque estaban en una gala pública y se contuvo para no darle un puñetazo.

Ella era suya, pensó él. Porque, aunque estuviera vestido con ropas elegantes y sonriendo ante las cámaras, seguía siendo un hombre de las cavernas en lo relativo a su mujer.

Estaban en Viena, en pleno invierno, después de haber estado recorriendo Europa durante semanas. El objetivo del sultán había sido captar inversores para su país, como el que en ese momento estaba babeando por su esposa.

Sin embargo, estaba cansado de vender la imagen de Jhurat y de explicar todas las razones por las que sería buena idea invertir allí. Estaba harto de bailar y sonreír y actuar como uno más de los idiotas que se daban cita en los grandes salones europeos. Ninguno de ellos tenía idea de lo que significaba luchar por algo.

Y estaba cansado de la helada perfección de su esposa.

Cleo había aprendido rápido la lección y estaba cumpliendo su papel mejor de lo esperado, reconoció Khaled. Mientras, el magnate italiano comenzaba a resaltar sus cualidades con versos poéticos y ella sonreía, sin dejar de prestar atención también al banquero suizo que tenía al otro lado.

Cleo exudaba elegancia y aristocracia, a pesar de no tener ni una gota de sangre azul. Parecía haberse estado preparando toda la vida para el papel. Además, desde aquella terrible noche en el dormitorio del sultán, no había vuelto a desobedecerlo ni a contrariarlo. No había ni rastro de aquella mujer desafiante y provocadora que había conocido en el callejón. Ni de la ingenua joven que había hecho todo lo posible para hacerle reír.

Ella parecía en su salsa con sus zapatos de tacón de aguja, rodeada de grandes tiburones internacionales, famosos por sus gruesas chequeras.

Esa noche, cuando él había entrado en el vestidor para buscarla para la fiesta, la había encontrado con el pelo recogido hacia atrás y adornado con pasadores de perlas y diamantes. Ella se había limitado a sonreírle, como si hubiera sido otro potencial inversor al que hubiera tenido que caerle bien. Como si hubiera sido cualquier persona anónima.

Había estado tan hermosa, aunque remota, que Khaled no había podido evitar caer de rodillas ante ella. Le había levantado la falda plateada del vestido y había hundido la cabeza entre sus muslos.

La había hecho gemir su nombre y llegar al orgasmo. Pero, cuando sus espasmos de placer habían pasado, ella se había limitado a sonreír de nuevo con educación y darle las gracias.

Como si hubiera sido un perfecto desconocido.

Cleo era un sueño hecho realidad. Se había convertido en la mujer que él con tanta crueldad le había ordenado que fuera. Era perfecta.

Sin embargo, Khaled odiaba esa perfección, más cada día.

–Ven –pidió el sultán cuando el magnate italiano se hubo ido en pos de más mujeres hermosas–. Baila conmigo.

Ella sonrió con obediencia y lo siguió a la pista de baile. Allí, entre sus brazos, lo miró con gesto sereno y encantador.

Khaled tuvo deseos de hacerla reaccionar. Quería recuperar a la antigua Cleo, a esa intrépida viajera que se había enfrentado a él en medio de un callejón, sabiendo que era el sultán de Jhurat.

Pero no podía ser, se recordó a sí mismo, sintiéndose más vacío que nunca. Era mejor así.

–Estás frunciendo el ceño –le indicó ella con tono neutral y vacío de sentimientos.

Khaled le había enseñado a actuar así. Debía de alegrarse de su éxito pero, en vez de eso, solo sentía amargura, como si se hubiera cubierto su único sol.

–Cada vez tengo menos paciencia con este tipo de eventos –confesó el sultán, por alguna razón impulsado a confiar en su esposa. Cuanto más la apartaba de sí mismo, más desaparecía ella bajo su fría máscara de elegancia y compostura y más quería él tenerla cerca. No recordaba cuándo había sido la última vez que no habían dormido juntos, incluso había pensado hacer que ella se mudara a su suite en palacio–. Y cada vez me parece más razonable que mi padre se encerrara en Jhurat y clausurara todas las fronteras.

Cleo se quedó un momento en silencio. En los últimos meses, se había quedado más delgada, de forma que Khaled podía abarcarle la cintura casi con una mano. A él no le gustaba del todo. Sin embargo, ella se movía con tanta belleza y gracia que lo tenía embelesado. Y, una vez más, deseó poder ser otro hombre.

–Tú no eres tu padre –observó ella con tono comedido, mirándolo a los ojos un instante fugaz antes de bajar la vista con deferencia, de esa forma que se había vuelto habitual en ella en los últimos meses–. Tú quieres más para Jhurat.

–Eso no significa que lo consiga. Y podría hacer más daño que bien.

–Al menos, lo habrás intentado –comentó ella–. Eso es mejor que esconderse y fingir que no pasa nada, ¿no?

Entonces, sus ojos se encontraron y Khaled estuvo a punto de tropezarse. Solo podía beber de su mirada, como un hombre embrujado y maravillado. ¿De dónde había salido esa criatura tan perfecta que hablaba con tanta suavidad y que lo conocía tan bien?

Pero el sultán sabía de dónde había salido. Él mismo la había creado desde la nada. Cleo era lo que él le había exigido que fuera. Sin embargo, al mismo tiempo, sabía que la había perdido para siempre.

Ella le sostuvo la mirada, como si adivinara lo que estaba pensando, lo que sentía.

Aunque su esposa se limitó a sonreírle de nuevo con gesto remoto, algo que él odiaba.

En la cama, seguía siendo la misma Cleo de siempre. Cuanto más fría y distante se mostraba en público, más caliente y apasionada era bajo las sábanas.

Sin embargo, nunca más había vuelto a decirle que lo amaba.

—Cuando volvamos a Jhurat, quiero que vayas al médico de palacio —ordenó él de forma abrupta.

Durante un segundo, Cleo se puso rígida entre sus brazos.

—¿Estoy enferma?

—No lo creo. Aunque eso lo explicaría. ¿Te sientes mal?

—No en el sentido al que te refieres —repuso ella animada por su antigua insolencia. Al momento, no obstante, volvió a sonreír con dulzura e indiferencia—. Aunque creo que he comido demasiada tarta esta noche.

Khaled la había observado durante toda la cena y sabía que, aunque había alabado su sabor y su delicadeza, apenas había probado la tarta vienesa de chocolate.

—Todavía no te has quedado embarazada —señaló él con tono acusatorio.

Cuando Cleo echó hacia atrás la cabeza como si hubiera recibido una bofetada, Khaled deseó saber qué decir para arreglar las cosas. Pero él era un hombre rudo, hecho de sangre y sol del desierto, y no sabía nada de palabras bonitas ni de poesía. Solo entendía de deber y responsabilidad.

–Aún no –negó ella–. ¿Tengo que disculparme por eso? Si recuerdo mis clases de biología del instituto, creo que los dos tomamos parte en ello al cincuenta por ciento.

¿Imaginó Khaled furia e indignación en sus palabras? Estaba desesperado por ver cualquier fisura en el frío muro que ella había levantado a su alrededor.

–Cleo –dijo él, sujetándole de la cintura con más fuerza.

–No es mi intención interrumpirte –señaló ella con mucha calma, como si no le afectara en absoluto nada de aquella conversación–. Pero esos empresarios con los que querías hablar acaban de llegar.

Durante un segundo, Khaled no consiguió recordar por qué tenía que hablar con ellos. Sin embargo, enseguida se dio cuenta de que necesitaba a esa gente rica y malcriada para que invirtiera en su país. Jhurat requería dinero extranjero y su papel era convencer a todos de que lo único medieval que había en su país era la arquitectura.

–Tenemos que hablar –indicó él, luchando por controlar sus sentimientos y no mostrarse como un hombre de las cavernas. ¿Cómo podía estar al mando de un país y ser incapaz de llevar las riendas de su propio corazón?

–Claro. Lo que tú quieras –repuso ella, complaciente.

Ese era el problema. Khaled sabía lo que quería,

lo que había deseado desde el primer momento en que había posado los ojos en esa mujer.

Sin embargo, nunca podría tenerlo.

Al final, fue sencillo.

Cleo había tardado meses en preparar un plan de escape para dejar a un hombre que nunca se lo habría consentido si se lo hubiera pedido de forma directa. La había ayudado el sabio consejo de Jessie y su capacidad para mirar a su esposo a los ojos, sonreír y contarle mil mentiras por omisión. Aunque eso no significaba que le hubiera resultado fácil.

Esa noche, cuando regresaron a su habitación de hotel, Khaled la envolvió con su intensa y penetrante mirada llena de deseo, mientras se quitaba la chaqueta y la corbata sin pestañear.

Como respuesta, ella se sintió lanzada hacia el cráter de un volcán, por mucho que le incomodara sentirse de esa manera.

—¿No querías hablar de algo? —preguntó Cleo con tono formal. Era muy difícil mirarlo a la cara y fingir indiferencia, cuando lo deseaba sobre todas las cosas. Sin embargo, debía actuar. Sobre todo, porque él había sugerido llevarla a un médico que, sin duda, destaparía su secreto sobre las píldoras anticonceptivas.

—Mañana —rugió el sultán, contemplándola como si fuera un bocado irresistible y él fuera un hombre muerto de hambre—. Hablaremos mañana.

—Me parece bien —mintió ella, mientras trataba de ignorar el escalofrío que le recorría la espalda.

Entonces, cuando él comenzó a acercarse, a Cleo se le aceleró el corazón, expectante, como si no supiera lo mucho que debía odiarlo...

Su habitación de hotel era un monumento al viejo mundo y a la opulencia, con un exquisito trabajo de restauración en cada detalle. Sin embargo, no había belleza en el mundo comparable al torso desnudo de Khaled, se dijo ella.

—Bésame —ordenó él, deteniéndose delante de ella.

En su voz, Cleo percibió una nota de desesperación que hizo que se le pusiera un nudo en la garganta.

—Khaled...

—Cleo —susurró él.

La agonía y el tormento que brillaban en los ojos de su marido hicieron temblar a Cleo.

—Obedéceme —le urgió él.

Aunque lo odiaba, eso era justo lo que ella quería hacer, obedecerlo. Así que, ignorando todo lo que tenía contra él, lo besó.

Pero era un beso cargado de dolor, de sueños rotos, de confusión, preocupación y rabia. Lo besó para perdonarlo y para acusarlo al mismo tiempo, mientras él le sostenía el rostro entre las manos y la devoraba con pasión.

Era casi como si adivinara que iba a ser su última vez, pensó Cleo.

Khaled la apretó contra su cuerpo y ella lo rodeó con sus brazos, agarrándose a sus hombros mientras él le quitaba el vestido plateado. Con un gemido, dejó que la levantara del suelo y lo rodeó por la cintura con las piernas.

Era un hombre muy fuerte, de acero puro, y estaba concentrado en ella con toda su intensidad. La besaba una y otra vez, como si nunca pudiera saciarse de su sabor, al mismo tiempo que la recorría con sus manos, prendiéndole fuego.

Justo cuando Cleo comenzó a gritar su nombre, presa del placer, el sultán la llevó al sofá y se tumbó sobre ella. Allí la tomó una y otra vez, sin compasión. Luego, la llevó a la ducha y la lavó con sumo cuidado, como si fuera una pieza de cristal delicado. Pero para él no significaba nada, se recordó a sí misma, ella no era más que un jarrón bonito y decorativo.

Khaled la secó despacio con una suave toalla, con el mismo mimo con que un artista utilizaría el pincel, hasta que Cleo comenzó a dudar de su propia decisión. Pero, aunque lo pareciera, no era posible que Khaled fuera tierno, ni afectuoso. Aquello no podía ser real, se repitió a sí misma.

Minutos después, él la condujo a la cama y se acurrucó a su alrededor, abrazándola con fuerza como había hecho las últimas noches.

Como si la amara, pensó Cleo. Sin embargo, ella sabía que no era posible.

—Tranquila —le susurró él al oído, invadiéndola con su cálida voz, y le posó una mano sobre el pecho—. El corazón te late muy deprisa.

Y en la oscuridad, donde Khaled no podía verla, a Cleo se le llenaron los ojos de lágrimas.

Ella esperó, conteniendo el llanto. En pocos minutos, Khaled cayó dormido.

Cuando el reloj de la mesilla marcó las tres de la

madrugada, supo que había llegado el momento decisivo.

Había llegado la hora, se dijo Cleo a sí misma, paralizada. «Es ahora o nunca».

Khaled no se despertó cuando ella se incorporó y salió de la cama.

Con cuidado, Cleo se metió en el vestidor y cerró la puerta. Allí estaban las cajas que la odiosa Margery había seleccionado con regalos para que el sultán entregara a sus socios de negocios. Después de decirle a la relaciones públicas que había querido inspeccionarlas en persona primero, había tenido acceso a los paquetes y había aprovechado para camuflar su vieja mochila en uno de ellos.

Al tomarla entre las manos, en vez de sentir triunfo y excitación, como había esperado, su corazón se encogió de amargura.

Sin darse tiempo a pensarlo demasiado, sacó sus viejas ropas y se vistió con unos vaqueros, una amplia camiseta de algodón y una sudadera.

Aplastada por pesadas emociones, apretó los ojos, esforzándose por respirar, y se colgó la mochila al hombro.

Despacio, volvió a dormitorio, solo iluminado por la luz de una farola de la calle que se colaba por las cortinas. Khaled estaba tumbado con el cuerpo estirado sobre la cama, tan impresionante dormido como despierto.

Solo cuando él dormía se atrevía Cleo a mirarlo sin máscara ninguna. Y solo entonces podía limitarse a admirarlo y a soñar con que era un poco suyo.

Allí parada, en la penumbra, disfrazada de mochilera, deseó que no le resultara tan difícil.

¿Cómo podía haberse enamorado de ese hombre?

Khaled le había dejado muy claro lo poco que significaba para él y lo patéticos que le resultaban sus sueños románticos.

Cuando el sultán se movió en la cama, Cleo se quedó petrificada, temiendo que su titubeo lo hubiera echado todo a perder.

Pero no se despertó y, con el corazón a galope tendido, conteniendo el aliento, se dirigió a la puerta.

Al posar la mano en el manillar, supo que, si se giraba y volvía a mirarlo, no podría irse. Volvería a creer que merecía la pena intentarlo, que acabaría amándola. Seguiría mintiéndose a sí misma sobre ese matrimonio y se perdería en el papel que él la había enseñado a representar.

Su marido era el sultán de Jhurat y podía sustituirla sin pestañear, se recordó a sí misma. No tenía ninguna duda de que lo haría.

Ignorando las lágrimas que le bañaban la cara, Cleo salió de allí, sin permitirse mirar atrás.

Khaled no temió nada cuando se despertó y vio que Cleo no estaba en la cama. A veces, ella se levantaba antes que él, se dijo a sí mismo, un poco irritado.

Cuando salió de la ducha, decidió no buscarla en la enorme suite porque sabía lo que pasaría si la encontraba. La ardiente pasión que los arrasaba tomaría el control una vez más.

Más tarde, pensó él. Después.

Cuando, al fin, acabó con la última de sus aburridas reuniones matutinas con grandes financieros, Nasser lo llamó aparte con expresión sombría y le informó de algo que él no creía posible.

Cleo se había ido. Nadie la había visto en todo el día.

—¿Han pedido algún rescate? —preguntó Khaled de inmediato, culpándose a sí mismo por no haber tomado más en serio las amenazas de Talaat.

—No.

—¿Alguna señal de que se la hayan llevado por la fuerza? —inquirió de nuevo el sultán, aterrorizado solo de pensarlo.

Nasser negó con la cabeza.

—Nada de eso. Solo faltan su teléfono móvil y su portátil.

Khaled tardó unos minutos en procesar las palabras de su ayudante. Cleo siempre llevaba consigo su viejo portátil, cubierto de pegatinas de grupos musicales de los que él nunca había oído hablar. Y era muy poco probable que los secuestradores hubieran dejado sin tocar todos los objetos valiosos de la habitación y solo hubieran tomado el portátil.

Pensativo, intentó ver la situación desde distintos ángulos, sin querer admitir que ella podía haberle hecho una jugarreta. Era imposible.

—Igual mi esposa se ha tomado un día libre.

—¿De qué, Excelencia? —replicó Nasser en voz baja—. Su vida son unas eternas vacaciones.

Ante la mirada de Khaled, su ayudante se apresuró a disculparse por su comentario.

Adentrándose en una zona privada del vestíbulo del hotel, el sultán se sacó el móvil del bolsillo y la llamó. La dulce y sumisa criatura que había estado a su lado todos esos meses no podía haberle abandonado.

Aunque esa criatura no había sido la verdadera Cleo y él lo sabía.

El tono del teléfono sonó dos veces.

–Hola, Khaled –saludó ella con el mismo tono de fría calma que, en los últimos meses, solía utilizar con él.

–Ya que respondes tú misma al teléfono, supongo que no te han raptado, ni te han asesinado –señaló él, comprendiendo al fin. Se la imaginó tomando su vieja mochila, llamando a un taxi...–. ¿Dónde estás, Cleo?

–¿Qué importa eso?

–A mí me parece de suma importancia.

–Entonces, cuanto antes, búscame una sustituta.

La voz de Cleo había dejado de sonar calmada. Khaled se frotó la cara con la mano, sintiendo una mezcla de dolor y furia. Pero, en su mente, solo podía ver la verdadera sonrisa de Cleo, la que se había estado perdiendo todos esos meses, generosa y llena de vida.

–¿Es eso lo que quieres? –preguntó él, luchando por no gritar–. ¿Vengarte? Creí que no eras esa clase de persona.

–No es una venganza, Khaled –aseguró ella, soltando una risa que a él se le clavó en el corazón–. Para que eso funcionara yo tendría que importarte y los dos sabemos que no es así.

El sultán apretó con fuerza en teléfono entre las manos, inmóvil de tanta tensión.

Sin embargo, no fue capaz de decir las palabras que le quemaban en la garganta. Cleo se merecía algo mejor. Si quería abandonarlo, por mucho que el alma de él se revolviera, debía dejarla marchar.

Entonces, Khaled apretó los ojos. Se odió a sí mismo, odió Jhurat y odió el desastre que había creado con sus propias manos.

Pero no dijo ni una palabra.

Cleo se quedó callada un momento. Él adivinó que esperaba que la contradijera. Luego, ella soltó un suspiro cargado de tristeza.

—Soy una mujer corriente. No tengo nada de especial, Khaled, tú mismo me lo dijiste —le recordó ella—. No te costará nada encontrar a otra. Nadie notará la diferencia y, menos, tú.

La rabia, una emoción más familiar y mucho más fácil de manejar, tomó el control de los sentimientos del sultán.

—Si quieres pelear conmigo, Cleo, al menos, ten la cortesía de hacerlo en persona.

—Lo intenté.

—Una vez.

—Me dejó una honda huella.

Apretando los puños, Khaled sintió un desgarrador vacío. Ella había logrado engañarlo, le había vendido una falsa sensación de seguridad. Y, en ese momento, le estaba diciendo que lo dejaba.

—No lo acepto —le advirtió él.

—No te queda más remedio, Khaled. No es una sensación agradable, ¿verdad?

–No creo que lo hayas pensado bien –señaló él, incapaz de dominar la profunda amargura que le atenazaba el pecho–. Los paparazzi te perseguirán. No tendrás un momento de paz.

–Mejor los paparazzi que tú –dijo ella con una lúgubre carcajada–. Aunque los dos sabemos que tú no vas a perseguirme.

–¿Tan bien crees conocerme?

Algo dentro de Khaled rugía con fuerza, fuera de control. No quería dejarla marchar así. Ni nunca.

–Estoy segura de que no te importo lo suficiente como para molestarte en buscarme –indicó ella, sin poder camuflar su tristeza–. Es tu orgullo lo que te hace hablar.

–¿Y si estuvieras embarazada?

–No estoy embarazada –aseguró ella–. Puede que haya sido una temeraria contigo, desde el principio, pero no soy una idiota.

–Cleo...

–Adiós, Khaled –se despidió ella en un susurro.

Khaled quiso creer que había percibido un tono de arrepentimiento en la voz de ella.

De todas maneras, Cleo había colgado.

Días más tarde, cuando Nasser, la única persona que conocía lo sucedido, localizó gracias a la señal GPS el móvil desde el que Cleo había llamado, Khaled supo que se trataba de un hotel en Johannesburgo, en el sur de África. Nada menos.

–¿Hay señales de ella? –preguntó Khaled. Se había resignado a su nueva situación, aunque de todas maneras necesitaba saber dónde estaba. Era su mujer, sin importar dónde viviera, y podía necesitar su protección.

El palacio le parecía más grande y más vacío que nunca sin ella. Mirando por la ventana, intentó convencerse de que era un alivio. Era mejor así. Podía continuar con su vida sin interferencias y concentrarse en su país como siempre había planeado.

—Creo que le ha dejado un mensaje, Excelencia —contestó Nasser, carraspeando—. Le enviaré una foto.

Cuando Khaled recibió la imagen en su móvil, se quedó contemplándola con el pulso acelerado a toda velocidad, como si estuviera corriendo bajo una tormenta en el desierto.

Era la imagen de una anodina cama de hotel con el teléfono de Cleo en el centro del colchón. A su lado, había una caja abierta de lo que enseguida comprendió que eran píldoras anticonceptivas.

Aquel era su mensaje, se dijo él, una especie de provocación.

Y fue entonces cuando Khaled comprendió que aquello no había terminado.

Y decidió que no tenía intención de dejarla marchar.

Capítulo 8

HOLA, Cleo.

La voz de Khaled la sobresaltó.

Él salió de las sombras, tan imponente y poderoso como lo recordaba. Cleo no había podido dejar de pensar en él día y noche desde que se había ido de su lado hacía seis semanas.

Con el corazón acelerado, ella se detuvo de golpe en medio de la calle.

–Hace muy buena noche para pasear, ¿no? –preguntó el sultán con voz suave.

Sin poder evitarlo, Cleo se estremeció de excitación. El aire estaba cargado de música de los cafés y los artistas callejeros, en aquella calle de Nueva Orleans llena de turistas. Una vez más, ella había salido con la intención de desaparecer, de no pensar y fundirse entre la multitud como un fantasma.

En ese momento, al ver ante sí a aquel hombre que la miraba con intensidad y una ligera sonrisa de satisfacción, quiso salir corriendo.

Pero siempre lo arreglaba todo huyendo, se reprendió a sí misma con el ceño fruncido. Además, tenía la sensación de que, en esa ocasión, Khaled la perseguiría y la capturaría antes de que lograra doblar la esquina.

–¿Le has tomado gusto a aparecer de la nada en medio de la calle? –preguntó ella, esforzándose por sonar fría y distante–. No parece propio de un sultán. Tienes que dejar de acosar a la gente –indicó y, con un gesto de la cabeza y cargada de sarcasmo, añadió–: Excelencia.

Khaled se limitó a observarla, sus ojos como dos bolas de fuego. Como única respuesta, esbozó una imperceptible sonrisa.

Para su desesperación, Cleo comprobó que su cuerpo respondía a él con la misma intensidad que siempre, por voluntad propia.

Maldición, se dijo a sí misma. Se sentía tonta y nerviosa. Su cuerpo todavía lo deseaba... cuando lo que tenía que hacer era odiarlo.

–¿Qué quieres? –dijo ella en voz baja y calmada, sin querer delatar el torbellino que se arremolinaba en su interior.

–Adivínalo.

Cleo no quería adivinar nada. Solo quería darse media vuelta y correr a la preciosa mansión que una amiga de Jessie le había prestado.

Nunca había imaginado que Khaled iría a buscarla. Sin embargo, allí estaba él.

En esas semanas, Cleo había intentado forjarse una nueva vida, tranquila y anodina, sentándose a leer el periódico en algún café por las mañanas y dando largos paseos por las tardes.

Pero tenía que reconocer que, en su interior, había estado esperándolo.

Vestido con pantalones oscuros y una de esas finas camisas suyas que resaltaban su musculoso torso, le pareció todavía más atractivo y masculino de lo que recordaba. A pesar de su ropa informal, era imposible no fijarse en él. Destacaba entre la multitud desde lejos.

Un aire de indiscutible autoridad lo envolvía, dándole el aspecto de un hombre acostumbrado a ser obedecido y respetado.

Khaled arqueó las cejas mientras la observaba, como si esperara que ella siguiera obedeciéndolo.

Pues iba a llevarse una buena sorpresa, se dijo Cleo.

—Han sido seis semanas muy largas —señaló ella con tono cortante.

—Sí.

—He tenido mucho tiempo para darme cuenta de lo furiosa que estoy.

—¿Furiosa? ¿Es que alguien te ha abandonado en medio de la noche?

Cleo percibió los relámpagos de sus ojos, a pesar de su voz suave y comedida.

—No pareces sorprendida de verme —continuó él.

Ella se encogió de hombros.

—Eres la clase de hombre que no se toma bien quedarse sin sus juguetes, aunque esté harto de jugar con ellos —le espetó Cleo, observando cómo la mirada de él se afilaba y se le ponía la mandíbula tensa—. Aunque no tenga intención de hacer otra cosa con ese juguete que encerrarla lejos de él. Descalza y embarazada, si es posible.

—Dejemos la metáfora de los juguetes, por favor —pidió él con mirada letal.

—No creí que fuera una metáfora —replicó ella,

fingiendo indiferencia–. Pero no me sorprende que estés aquí. Era de esperar.

A Cleo no le gustó la sonrisa que se dibujó en los labios de él. Sobre todo, porque su piel reaccionó al instante subiendo de temperatura.

–Eres la esposa del sultán de Jhurat –indicó él–. Por muy de esperar que sea.

–Técnica y temporalmente nada más.

Khaled la paralizó con su mirada.

–El mundo entero te conoce, como bien sabes. Todas las revistas especulan con tu embarazo. ¿No me lo dijiste tú misma? Ahora no hay marcha atrás.

Sin esperar respuesta, el sultán se acercó y dio una vuelta a su alrededor. Furiosa, ella tuvo ganas de detenerlo, pero se quedó muy quieta y esperó.

Cleo dudaba que fuera una mera coincidencia que el sultán estuviera haciendo con ella lo mismo que había hecho la primera vez que la había visto.

–Y te atreves a vagar sola en una ciudad peligrosa, de noche. Vas exhibiendo tu soledad, tanto a las cámaras como a un posible secuestrador. Podrían hacerte daño. Es como si quisieras provocar al destino.

Tomando aliento, Cleo se armó de valor. Por dentro, sin embargo, temblaba y solo quería tocarlo y asegurarse de que era real, no un sueño doloroso, como los que la visitaban todas las noches.

Había creído que, si lo dejaba, si se alejaba de su lado, sería libre. Sin embargo, había descubierto que había dejado su corazón atrás con él. Eso la enojaba... y estar furiosa era bueno. La hacía sentir menos vulnerable.

–Vamos, Khaled –dijo ella con un desconocido

tono burlón, como si fuera otra persona quien estuviera hablando por su boca–. Di eso que sueles decir sobre lo mucho que te decepciono. No llego a tu nivel, ni provengo de tu impecable linaje, ¿verdad?

Algo parecido a la tristeza brilló en los ojos oscuros de él.

–Es tu seguridad lo que me preocupa.

–Estaba a salvo –le aseguró ella–. Hasta ahora.

–Soy un peligro para ti, eso es verdad –reconoció él en voz baja, pero cargada de fuerza, de fuego y de rabia–. Pero eres un personaje público y el pueblo te ama, te guste o no. ¿Sabes lo que significaría para mi país perderte?

–Tu país –repitió Cleo con amargura. Por supuesto, aquello no tenía nada que ver con ella, ni con él–. Yo no pedí ser la esposa del sultán, Khaled.

–¿No? –prosiguió él–. Pero tenemos una responsabilidad que cumplir, Cleo. No se trata de nuestras pequeñas fantasías, ni de lo que podría haber sido su hubiéramos sido otras personas –aseguró, penetrándola con la mirada–. Querías algo más de la vida, ¿no es así? Pues, para que lo sepas, cuanto más grande es tu forma de vida, más responsabilidades tienes.

Durante un momento, Cleo no pudo respirar. Recordó cuando él le había pedido que se casaran. Aquellas imágenes de su memoria le parecían como una vieja película. Había sido una tonta al pensar que el león hambriento que había tenido ante sí entonces no la devoraría entera.

–Últimamente, he aprendido a apreciar las vidas sencillas –le espetó ella–. Quiero una para mí.

–Aun así, no has vuelto a ser la misma que habías sido en Ohio. ¿Por qué no, Cleo? Podrías volver allí y tener esa vida sencilla que dices querer. Pero no lo has hecho.

—No sabes nada de mi vida en Ohio. Dudo que ni siquiera conozcas Ohio —se apresuró a responder ella, a la defensiva—. Y no voy a volver a Jhurat contigo.

—Pareces muy segura de eso —comentó él con fiera mirada—. Yo no estoy tan seguro.

Cleo tuvo que hacer un esfuerzo para controlar sus propias manos, que le ardían en deseos de tocarlo.

—Quiero el divorcio.

—No puede ser.

—No te he pedido permiso —repuso ella—. Estaba comunicándote mi plan.

—Aun así, te recuerdo que necesitas mi permiso para disolver nuestro matrimonio, Cleo —informó él, como si no le importara gran cosa—. Nos casamos bajo las leyes de Jhurat. ¿Y sabes quién hace esas leyes?

Jessie le había advertido de que aquello podía pasar. Khaled era la clase de hombre al que no le gustaba perder. —Entonces, espero que estés preparado para una separación muy larga, muy pública y muy embarazosa —amenazó ella—. Lo que incluye que yo haga lo que me parezca, y sin la asistencia de tu arpía de relaciones públicas, Margery.

Khaled apartó la mirada, metiéndose las manos en los bolsillos, como si tuviera que controlarse para no dar un puñetazo a la pared. Luego, se volvió hacia ella, devorándola con los ojos con una explosiva combinación de ferocidad y pasión.

–¿Tus hombres están rodeándome? –preguntó ella con gesto desafiante, como si estuviera preparada para pelear con ellos con sus propias manos–. ¿Van a meterme por la fuerza en un coche de cristales tintados? ¿Pretendes sacarme del país contra mi voluntad?

–Creo que ves demasiadas malas películas –replicó él con tono seco–. No tengo intención de raptarte. Además, creo que los dos sabemos que tan dramáticos extremos no son necesarios, cuando lo único que tengo que hacer es tocarte para que me sigas donde yo quiera.

Cleo se quedó de piedra porque lo peor de todo era que él tenía razón. Con la esperanza de que le pasara desapercibida su excitación, hizo una mueca burlona.

–Sí, claro, porque soy una estúpida inexperta, ¿no? –dijo ella fingiendo aburrimiento.

Lo único que Cleo quería era que él se fuera cuanto antes. ¿No era así?

–He sido yo quien te ha dejado marchar –admitió él con suavidad, aunque su mirada de acero la atravesaba como un cuchillo–. Era lo que tú querías y sé que no he sido el marido de tus fantasías.

–¡No tiene nada que ver con la fantasía! –se defendió ella, dolida.

–Sí lo tiene –repuso él con voz quebrada–. Hacer que te enamoraras de mí fue la cosa más fácil del mundo... Ya estabas a punto de caramelo cuando te llevé a palacio conmigo el primer día.

–Eres un hombre muy cruel –le acusó ella en voz baja.

–Solo he dicho la verdad. ¿Preferirías que te mintiera?

–Sí –mintió ella a su vez–. Se te da muy bien.

–Pues lo siento –continuó él, sin dejar de clavar sus ojos en los de ella–. ¿Qué he hecho para hacerte huir así, como si fuera una especie de demonio del que tenías que escapar?

Por alguna razón incomprensible, Cleo se sintió avergonzada y, sin poder evitarlo, se sonrojó. Como si hubiera sido ella la que le hubiera tratado mal a él.

–Sabes lo que me has hecho –contestó ella con voz tensa, atragantada por sus intensos sentimientos.

Cuando Khaled se acercó un poco más, Cleo quiso dar un paso atrás de forma instintiva. Pero se quedó quieta, intentando demostrarse que era capaz de enfrentarse a aquel hombre de pecho fuerte y ardiente.

–Aun así, estás aquí –susurró él con voz ronca y sensual–. En medio de la calle, hablando conmigo. No pareces tener ni pizca de miedo.

–No te tengo miedo –le espetó ella con vehemencia, deseando poder mantenerse más fría, más distante. Entonces, se dio cuenta de algo que él había dicho e hizo una mueca–. Y, si pensabas dejarme marchar, ¿qué ha sido lo que te ha hecho cambiar de opinión? ¿Orgullo? ¿Arrogancia?

–Sí –afirmó él con ojos brillantes–. Tu orgullo y tu arrogancia.

–¿Por qué dices eso? –inquirió ella, aunque no estaba segura de querer conocer la respuesta–. Es una ridiculez.

–Tu escapada a Johannesburgo fue un numerito muy entretenido –dijo él, clavándole la mirada–. Pero, si de veras hubieras querido deshacerte de mí, deberías haber escapado sin enviar ningún mensaje para provocarme.

–No quería provocarte.

–Claro que sí.

Khaled se sacó las manos de los bolsillos y avanzó hacia ella. En un instante, la acorraló contra la pared, apoyando ambos brazos a los lados de su cabeza. Sus ojos eran más oscuros que la noche que los rodeaba.

Cleo se estremeció.

–¿Por qué me lo ocultaste?

–¿Qué otra cosa podía hacer? –se defendió ella–. Te dije que no estaba preparada para tener hijos y me ignoraste.

–No creo que fuera por eso –negó él, manteniéndola inmóvil entre la pared y su pecho–. Intenté tenerte controlada, pero no funcionó nunca, ¿verdad? Me lo ocultaste porque necesitabas una prueba.

–¿Una prueba? –preguntó ella, temblando. Quería correr. Pero él la tenía inmovilizada con su mirada–. ¿Para qué?

–Era tu excusa para sentirte con derecho a abandonar a un bruto como yo, tan controlador que tenías que ocultarle tus píldoras anticonceptivas.

Perpleja, Cleo sintió como si la tierra se quebrara bajo sus pies y fuera a hundirse en un abismo sin remedio.

–¡Pero fue lo que pasó! –se defendió ella, golpeándole en el pecho con las palmas de las manos.

–Escondiste esas píldoras, Cleo, igual que escondiste tu verdadero yo en el momento en que te di una excusa. Tu fingida obediencia no era más que un arma arrojadiza. Porque yo era tu fantasía y necesitabas una estrategia de salida y una razón. Es así y tú lo sabes.

–No –protestó ella, desesperada y furiosa–. Te amaba. Cambié por ti. Habría hecho cualquier cosa por ti, pero fuiste muy cruel esa noche...

–Sí –admitió él con irritación, incapaz de seguir manteniendo a raya sus emociones–. Esa noche me sorprendiste y fui cruel. Y tú reaccionaste como la reina de hielo durante meses, para luego abandonarme sin mediar palabra –la acusó e hizo una pausa, como si se hubiera quedado sin aliento–. Creo que, tal vez, ganaste la discusión de aquella noche después de todo. Ya que tu amor es agua pasada.

La tormenta estalló dentro de Cleo, sembrando sus ojos de lágrimas. Sollozó sin poder parar, atrapada entre aquel hombre poderoso y la pared...

–Te odio –musitó ella–. Te odio –repitió, ansiado que fuera verdad.

Khaled apretó los labios y, en sus ojos, Cleo percibió tristeza y arrepentimiento y las mismas cosas que estaban destrozándole a ella el corazón.

–Sé que me odias –afirmó él con voz grave. Acto seguido, se inclinó hacia ella y la besó.

Ella era como un relámpago entre sus brazos, salvaje y con sabor a fuego.

Khaled se apretó contra su boca, sin importarle que estuvieran en una calle pública ni que pudieran fotografiarlos. El mundo entero había dejado de importarle en ese momento.

Su unión era caliente, insana, incontrolable... Perfecta.

Él había planeado con meticulosidad su venganza. Mientras la localizaba, no había dejado de imaginar formas de hacerle pagar por su temeridad.

Cuando Nasser había investigado a Jessie, la única amiga de Cleo que podía haberla ayudado a escapar, enseguida habían encontrado su rastro en aquel suburbio de Nueva Orleans. Era una zona bañada de pobreza, jazz y folclore, muy poco apropiada para la esposa del sultán. Y Khaled estaba dispuesto a llevarla con él, a rastras, si era necesario.

De regreso a su país, iba a hacerle pagar por su abandono de mil dolorosas maneras.

Un par de horas antes, había observado cómo Cleo había salido de la vieja mansión donde se alojaba y la había seguido al centro de la ciudad. En las sombras, había sido testigo de cómo ella vagaba sin rumbo fijo, con los hombros encogidos, la cabeza gacha y muy poco instinto de conservación. Parecía más delgada y ojerosa que nunca y vestía el uniforme típico de todas las mujeres del lugar: vaqueros desgastados, botas y una camiseta de color anodino.

Ella era su esposa. Sin embargo, parecía que lo había borrado de su vida con la misma facilidad con que lo había dejado plantado en palacio.

Sin embargo, cuando la había visto, había olvidado por completo su plan de venganza.

En ese momento, la besó con desesperación, una y otra vez, recorriéndole el cuerpo con las manos. Ella temblaba, se derretía entre sus brazos.

Y, durante largo rato, no hubo más que ardiente fuego, consumiéndolos vivos.

Fue la risa de un borracho lo que le recordó a Khaled dónde estaban. Parpadeando, miró a Cleo, incapaz de creer que hubiera perdido el control de aquella manera.

Él tenía las manos en su trasero y ella lo sujetaba del cuello, con la otra mano bajo su camisa desabotonada.

Khaled maldijo en árabe. Cleo levantó la vista hacia él.

–Déjame ir –pidió ella en un susurro apenas audible y cargado de humillación.

–No quiero –murmuró él, aunque apartó las manos de todos modos.

–Claro que no –repuso ella con ojos llenos de tristeza–. Quieres utilizar lo que hay entre nosotros para hacer que me arrastre, para hacerme suplicar, para que... ¡En un lugar público!

–Eso que hay entre nosotros tiene tanto poder sobre mí como sobre ti –aseguró él, furioso porque fuera cierto.

–Sé por qué has venido, Khaled –señaló ella, mirándolo con incredulidad–. No es por mí. Quieres evitar el escándalo que tendrá lugar cuando el mundo sepa que el cuento de hadas no era tal.

–Hace tres segundos, estábamos a punto de tener sexo en plena ciudad de Nueva Orleans. ¿Crees que me importa el escándalo?

—Eres tú quien inventó el cuento de hadas. Claro que te importa.

—Hay diferencia entre una campaña de marketing y mi vida —indicó él—. Nuestra vida.

—No —negó ella con la barbilla alta—. No la hay. Nunca la ha habido.

Cleo tiritó entonces, como si la hubiera sorprendido un viento helado, y meneó la cabeza.

—Dime que no has venido para llevarte a tu mujer de vuelta y obligarle a llevar una vida de obediencia en Jhurat —pidió ella—. Dime que has venido porque querías hablar conmigo sobre lo que ha pasado entre nosotros. Si me lo dices, Khaled, te creeré.

—Cleo —susurró él, como una plegaria. Sin embargo, no pudo mentirle.

—Es lo que pensaba.

Conteniéndose para no darle un puñetazo con todas sus fuerzas a la pared, Khaled se quedó allí parado, con la camisa abierta, hundido. Ella era lo único que le importaba.

Cleo era la única luz en tanta oscuridad.

—¿Cuándo vas a comprender lo que sucede? —le reclamó él demasiado alto, sin importarle que los viandantes pudieran oírlo.

—Sé muy bien lo que sucede.

—No. Tú... esto es lo único que no puedo controlar —admitió él, moviendo las manos para representar el fuego que ardía entre los dos, más incombustible que el Sol. Se había pasado seis semanas sin ella, sumido en el pozo más oscuro que había visitado jamás. No quería repetirlo—. ¿Quieres control? —continuó, desesperado.

Ella se encogió por su tono de voz, pero no dejó de mirarlo a los ojos.

Khaled le mostró las manos en señal de súplica y, por primera vez en su vida, fue un hombre y no un sultán. Y no lo lamentó.

–Entonces, toma el control. Durante toda la noche, tú mandarás y yo te obedeceré.

Capítulo 9

CLEO tardó unos segundos en procesar sus palabras.

Todavía estaba embriagada por el beso y por el torbellino de sentimientos que se arremolinaba en su pecho.

Khaled no se movió. Estaba esperando una respuesta.

—¿Qué quieres decir? —preguntó ella.

—Puedes hacer conmigo lo que quieras —afirmó él.

Algo se encogió dentro de Cleo, porque ella no quería nada de eso. Ella solo quería un final feliz, como en los cuentos de hadas.

—No me gustan estos jueguecitos, Khaled. Los dos sabemos que no puedes estar más de cinco minutos bajo las órdenes de otra persona. Explotarías.

—Ponme a prueba.

—¿Qué sugieres? —quiso saber ella, cruzándose de brazos. Intentó disimular el deseo que la embargaba y las imágenes ardientes que le saltaron a la mente—. ¿Tomarías whisky conmigo en la calle Bourbon? ¿Jugarías a las cartas con otros turistas? Tú estás muy por encima de eso, ¿no es así?

—O podrías hacer conmigo lo que quisieras... en

privado –propuso él con voz seductora–. Como te he ofrecido.

–No especificaste que fuera en privado. Solo dijiste que sería toda la noche –clarificó ella y ladeó la cabeza–. ¿La noche entera?

Con ojos relucientes, el sultán inclinó la cabeza en un gesto afirmativo y aristocrático.

–Y yo mando –puntualizó ella, sin darse cuenta de que estaba conteniendo la respiración.

Él volvió a asentir.

–No puedes hacerlo –opinó ella, aunque su mente ya estaba haciendo planes, imaginándose lo que podría hacer con él.

Khaled sonrió, como si lo adivinara.

–Yo puedo hacerlo, Cleo. ¿Y tú?

Al llegar a la entrada de la mansión en la que vivía, Cleo titubeó un momento.

–¿Y qué pasa si te utilizo y, por la mañana, te echo? –preguntó ella, rompiendo el silencio que los había perseguido durante todo el camino–. ¿Y si te trato como si no fueras más que la aventura de una noche?

Parado ante el jardín de la casa, Khaled parecía capaz de hacer que la puerta se abriera de golpe con solo un movimiento de sus fuertes hombros. Era un hombre colosal y poderoso, hecho para reinar en el inmenso desierto que le pertenecía, como si aquel paisaje inabarcable de cielo y arena fuera el único capaz de contenerlo.

No podía decirse lo mismo de aquella pequeña

entrada de la mansión, decorada con flores en macetas y jarrones de cristal que Khaled parecía capaz de romper solo con el pensamiento.

—Ah, sí —murmuró él—. Tienes mucha experiencia con aventuras de una noche. Se me había olvidado.

—Igual he tenido una cada noche desde que te dejé —le espetó ella. Al ver que no parecía molesto con la posibilidad, no pudo evitar sentirse insultada—. Tengo que darte las gracias por despertar mi insaciable deseo.

—De nada.

—Al menos, podías fingir estar ofendido por la idea. O celoso. Podías soltar alguna imprecación rabiosa y primitiva.

—Estaría ofendido si pensara que fuera posible —reconoció él sin inmutarse—. Despedazaría a cada uno de tus amantes con mis propias manos y te haría sufrir mi furia sin remedio. Pero sé que no has tocado a nadie.

Cleo no supo si sentirse halagada o ultrajada.

—No puedes saberlo.

—Te conozco —aseguró él, penetrándola con sus negros ojos—. Y, para bien o para mal, no ves más allá de mí.

Ella dio un respingo, como si la hubiera abofeteado, y se sonrojó. Con atenta mirada, Khaled parecía adivinar cada uno de sus sentimientos.

—Me gustaba la fantasía, el cuento de hadas —mintió ella—. Que tú fueras el protagonista fue mero accidente.

Sin embargo, él era el sultán de Jhurat. Y rio.

—Me has acusado de muchas cosas esta noche,

pero no sabía que también hubiera sido un accidente –comentó él y dio un paso hacia el vestíbulo
de la casa, mirando a su alrededor, mientras ella seguía clavada al suelo de la entrada–. Esta será tu
oportunidad de usar todas tus armas contra mí.

–No es una guerra –puntualizó ella y se recordó
a sí misma que, si había tenido el valor de dejarlo,
también podía hacer aquello–. No es nada más que
sexo.

Khaled se cruzó de brazos sobre el pecho desnudo, pues no se había molestado en abotonarse de
nuevo la camisa.

–Quizá el sexo es el síntoma. Pero creo que sabes bien que no es la enfermedad –señaló él.

–Tú lo has llamado enfermedad y no, yo. Recuérdalo.

–Lo recuerdo todo, pequeña.

–No me llames así –ordenó ella. Pero no era porque le hiciera sentir menospreciada. Al contrario, era
porque le gustaba demasiado que la llamara de esa
manera, igual que había hecho en el desierto. Le resultaba una muestra de cariño. Pero sabía que Khaled no la amaba, era solo una mentira.

–Como desees –repuso él sin ocultar cierto tono
burlón.

–Bien. Adelante –indico ella, entró, cerró la
puerta y se cruzó de brazos–. Desnúdate.

Khaled arqueó las cejas.

–¿Cómo dices?

–Me has oído.

–No sabía que pudieras ser tan deliciosamente
traviesa, Cleo –susurró él, provocador.

–No me hagas repetírtelo.

Entonces, Khaled obedeció, sin dejar de mirarla a los ojos.

A Cleo se le hizo la boca agua al ver su musculoso torso y contemplar cómo empezaba a desabrocharse el cinturón. En un solo movimiento, se quedó desnudo también de cintura para abajo.

–Excelente –dijo ella, impresionada, aunque intentó actuar como si fuera lo más normal del mundo tener a un sultán desnudo a su disposición. Pasando delante de él, se dirigió a las escaleras que conducían al dormitorio principal–. Sígueme.

Cleo no había contado con que, dentro de aquel cuarto decorado en tonos pastel, Khaled iba a resultar todavía más imponente. Exudaba tanto poder que no parecía posible que otra persona estuviera al mando, y no él. Ella tuvo tentaciones de abandonar el juego, lanzarse a sus brazos y dejarse llevar.

Pero no podía hacerlo, pues sabía que, si lo hacía, su relación no tendría ningún futuro. Allí estaba, ante esa extraordinaria criatura que era su marido, al que nunca había querido abandonar en realidad.

Khaled la contempló un momento y, luego, miró a su alrededor, a la chimenea que había en la pared opuesta y a las puertas del balcón que daba a un exuberante jardín.

Pero no miró la cama, observó Cleo, decepcionada. Como si él no tuviera un único y ardiente pensamiento en la cabeza, igual que ella.

–Sé que crees que vamos a tener sexo, pero igual te llevas una sorpresa. ¿Y si quiero que me traigas lo que pido como si fueras un perro bien entrenado?

Cuando él se volvió para mirarla, sus ojos estaban llenos de risa.

–Haz lo que quieras para divertirte –dijo él con buen humor–. Humíllame como mejor te parezca, Cleo. Pero ya sabes que siempre hay consecuencias.

–Pensé que era un regalo –repuso ella, frunciendo el ceño–. No puedes vengarte de alguien por algo que tú hiciste que sucediera.

–¿No? –replicó él con sarcasmo.

Solo con la mirada, Khaled consiguió que ella se pusiera al rojo vivo, excitada y ansiosa de poseerlo.

–No. Y, si te estás refiriendo a que te abandonara... Esto no tiene nada que ver.

–Si tú lo dices... Tú eres quien manda, Cleo. Las cosas siempre han sido como tú has querido –aseguró él, sin dejar de mirarla como si lo supiera todo de ella.

Horrorizada, Cleo se dio cuenta de que estaba temblando. Las lágrimas le asomaron a los ojos.

–Sabes que eso no es verdad. Hiciste todo lo que estaba en tu mano para que no fuera verdad.

–Sé que me porté mal. Solo quiero dejar claro que nunca fuiste tan vulnerable como pretendes. Siempre tuviste control sobre mí, Cleo. Lo que pasa es que no lo pusiste en práctica.

–Porque tú no me dejaste...

Cleo se interrumpió cuando él arqueó las cejas.

–A la cama –le ordenó ella–. Ahora.

Khaled rio con sinceras carcajadas. Aunque sabía que se reía de ella, a Cleo le sonó a música celestial. Lo único que quería era escuchar su risa otra vez. Siempre...

Pero no estaban allí para eso. Después de haber

tenido seis semanas para pensarlo, Cleo había tenido tiempo de encontrarse a sí misma, de saber quién era, llevara las ropas que llevara. Y esa era su oportunidad de probarlo.

Khaled se tomó su tiempo para tumbarse en la cama, mientras ella contemplaba su precioso cuerpo sin perder detalle.

A continuación, Cleo rebuscó en los cajones de la cómoda y sacó un par de medias y un pañuelo de cuello. Los llevó a la cama y sonrió, fingiendo no estar tentada de olvidar su maquiavélico plan y fundirse con él en ese mismo momento.

–Agárrate a eso –ordenó ella, señalando al cabecero de hierro forjado.

Aunque parecía a punto de protestar, Khaled no dijo nada e hizo lo que le pedía. Ella le ató con el pañuelo, tensándolo con fuerza. Entonces, él subió la otra mano y la posó a la altura del pecho de ella.

Cleo se estremeció, prendiéndose fuego al instante. No tenía duda de que él era muy consciente del poder de su contacto.

Los ojos del sultán brillaban y abrió la boca, pero no dijo nada.

–Khaled –dijo ella, mirándolo con gesto severo, retándolo–. Obedece.

Khaled pensó que aquella mujer iba a acabar con él.

Estaba envolviéndolo con su calor, su dulce aroma, sus ojos desafiantes y demandantes, su boca deliciosa...

Pero era un hombre de palabra. Así que levantó la otra mano y se agarró al cabecero, permitiendo que se la atara también.

Era lo que ella quería y él había accedido dejarle hacer lo que quisiera, se recordó a sí mismo. ¿Cómo podía haber sido tan corto de miras? Se había dejado atrapar en su propia trampa.

—No sabía que fueras tan malvada —murmuró él.

Cleo terminó de atarlo con las medias y, después, se echó hacia atrás para contemplar su trabajo.

—No creo que por atarte sea malvada. Además, ahora las reglas son diferentes.

—¿Y cuáles son las reglas? —quiso saber él.

—Yo estoy al mando, como tú dijiste. Durante toda la noche y sin interferencias del sultán. ¿Preparado?

Khaled sabía que, sin duda, acabaría con él. Quizá ese era el objetivo de Cleo.

—Sírvete tú misma —ofreció él, simulando sentirse cómodo.

Sin embargo, Khaled no se sentía cómodo en absoluto cuando vio que ella se quitaba los zapatos y se sentaba en la cama, mirándolo en silencio.

—¿Esto es lo que querías? —inquirió él, quizá con un poco de violencia—. ¿Mirarme?

—Te espera una larga noche, Khaled —señaló ella con una traviesa sonrisa—. Llevas solo tres minutos bajo mi mando y ya te estás rebelando —indicó y, cuando él suspiró con gesto de rendición, se acercó un poco más—. Quiero saber por qué.

Un escalofrío de temor recorrió a Khaled. Sin poder evitarlo, comprobó si podía romper sus ataduras. Ella lo observó con una tristeza en los ojos que le llegó al alma. Entonces, él se quedó quieto. Apretó los dientes y se sometió.

–¿Por qué qué? –replicó el sultán de mal humor.

–Para empezar, cuéntame qué pasó entre tus padres.

–No creo que quieras saberlo. ¿Qué importa? Mi madre está muerta y mi padre ha perdido la cabeza.

–Esto no es una discusión, Khaled. Respóndeme –ordenó ella, frunciendo el ceño con desaprobación–. O admite que no puedes mantener tu palabra ni dejar que nadie te mande –añadió, encogiéndose de hombros–. La verdad es que yo creo que no puedes.

Aquello era una locura, se dijo Khaled. Nunca en la vida había estado bajo las órdenes de nadie. Jamás había suplicado. Ni siquiera sabía cómo hacerlo. Sin embargo, estaba dispuesto a hacer cualquier cosa con tal de no perder a Cleo.

Incluso aquello.

–Mis padres estaban muy enamorados –explicó él, intentando relajarse–. Mi madre era muy hermosa y era la hija del jefe de un importante clan tribal. El suyo fue un amor tempestuoso y apasionado, además de una unión política.

–¿Ella no era obediente y callada?

–No –reconoció Khaled. Nunca había hablado de esas cosas con nadie–. Pero, después de que yo naciera, dicen que cambió. Sus emociones se hicieron incontrolables. O era muy feliz o muy desgraciada. Tenía grandes altibajos.

–¿Recibió ayuda?

–¿Que esperas oír? –replicó él, molesto–. ¿Que mi padre la encerró en una mazmorra el resto de sus días y se casó con tres mujeres más jóvenes?

Cleo frunció el ceño.

–Bastaba con que me respondieras con un simple sí.

–Mi padre estaba enamorado de ella –prosiguió Khaled tras un momento, respirando hondo–. Hizo todo lo que pudo. Pero también era el sultán y no eran tiempos muy estables en nuestra región. Al final, no pudo ser un buen esposo para ella ni el líder que el país necesitaba. Se pasó toda la vida desgarrado entre ambos.

–Por eso cerró las fronteras –adivinó Cleo–. Por ella.

–Sí. Lo hizo para poder contener sus responsabilidades, para centrarse. Pero no funcionó. Mi madre tuvo a Amira veinte años después de que yo naciera, pero nunca dejó de sentirse desgraciada –recordó él con tristeza–. Aprendí que el amor no soluciona nada, solo empeora las cosas. Crea expectativas que nunca se cumplen.

Sin hablar, Cleo posó la mano sobre el pecho de él, como si quisiera endulzar el dolor de aquellos recuerdos.

Fue una pequeña caricia que llenó a Khaled de calidez.

–Después del nacimiento de Amira, mi madre no se levantaba de la cama –continuó él, perdido en sus recuerdos–. Al final, murió. Los médicos no pudieron determinar la causa de su fallecimiento, aunque mi madre siempre había dicho que su marido había amado más a su país que a ella y que eso la había destruido.

—¿Era eso cierto? —preguntó Cleo con suavidad, sin dejar de mirarlo a los ojos.

—¿Cómo puedo saberlo? —repuso él con voz ronca, tenso y, al mismo tiempo, rendido al calor de su contacto—. Mi padre tenía la obligación de reinar. ¿Qué podía haber hecho? ¿Dejar el país en manos de bandidos para estar disponible para su esposa siempre que ella hubiera querido? ¿Qué clase de hombre haría eso?

—Siempre se puede llegar a acuerdos, Khaled —señaló Cleo con los ojos húmedos de emoción, consciente de que aquella conversación tenía que ver más con ellos que con los padres de Khaled.

—¿De qué sirven los acuerdos si luego tu esposa te abandona en medio de la noche o te ata a una cama para entrometerse en tu pasado? —protestó él.

—Por lo que cuentas, parece que tu madre no estaba bien —comentó ella en un susurro, ignorando su andanada. Sin embargo, su voz sonaba a lágrimas contenidas.

—Sí, hoy podría haber recibido tratamiento psiquiátrico —repuso él—. Pero lo que yo experimenté aquellos días fue tener a dos padres que usaban el amor como arma arrojadiza. Al final, terminaron odiándose.

Cleo se quedó callada un buen rato.

En el silencio, Khaled solo podía percibir los latidos acelerados de su propio corazón. Nunca hablaba de aquellas cosas. Eran demasiado dolorosas.

—¿Así que decidiste que el problema era que tus padres se amaban? —preguntó ella al fin.

–Decidí que nunca dejaría que mi esposa se confundiera al respecto. Soy el sultán de Jhurat y debo reinar, sea de mi gusto o no.

–Lo que quieres decir es que tu país siempre será lo primera para ti –adivinó ella, sin apartar la mirada.

–No es tan simple –respondió él. Aunque no podía mentirle–. Pero es verdad. Siempre elegiré a Jhurat primero. De todas maneras, me estoy engañando a mí mismo. Mírame, atado a una vieja cama de hierro en la otra punta del mundo, lejos de mis responsabilidades oficiales. Las cosas no son siempre blancas o negras.

Entonces, Cleo se incorporó y, al apartar la mano de su pecho, Khaled se puso tenso, como si acabara de perder algo precioso. Era una mujer muy hermosa, más que el sol. No tenía ni idea de cómo había llegado a necesitarla con tanta intensidad.

–Pero me dijiste que tenía que cumplir con un estricto papel y que tenía que obedecer.

–Solo quería protegerte –aseguró él, apretando los puños–. Mi madre se pasó toda la vida sintiéndose abandonada y sola. Si no dejaba que tú esperaras nada de mí, te salvaría de sentir esas cosas.

–¿Estás... diciendo que era por mi propio bien? –preguntó ella, atónita.

–Quería protegerte.

–¿Humillándome? –inquirió ella con el corazón encogido–. ¿Manteniéndome alejada durante el día como si fuera una leprosa?

–No quería que te hicieras una idea equivocada. No quería que sufrieras.

–¿Y por qué te esforzaste tanto en que me enamorara de ti? –le acusó ella–. ¿Por qué pasaste esa semana conmigo en el oasis? ¿No pretendías crearme expectativas?

–Cleo, en lo que respecta a ti, nada sale de acuerdo a mis planes.

Entonces, Khaled decidió que estaba harto de aquel juego. Le dio un fuerte tirón a sus ataduras y se liberó.

Capítulo 10

CLEO apenas tuvo tiempo de reaccionar. Khaled la tomó entre sus brazos y se tumbó encima de ella, apoyándose en los codos.

–Me lo habías prometido.

–Soy un hombre terrible –admitió él con mirada oscura–. Soy un monstruo egoísta. Y nada de lo que hago contigo funciona, ¿verdad?

–Solo estabas fingiendo –adivinó ella, temblando–. Podías haberte liberado desde el principio.

–Pues igual deberías preguntarte por qué no lo hice antes.

Sin esperar respuesta, Khaled la besó, inundándola de pasión. Sin embargo, no fue un beso hambriento, sino lleno de ternura.

Confusa y embriagada, Cleo se abrazó a él y se dejó llevar por aquel lento beso, mientras sus lenguas se acariciaban, se reconocían.

Pronto, se sumergió en el instante, como si no hubiera nada en el mundo más que Khaled. Sus cuerpos se movían a un ritmo delicioso, tocándose, saboreándose...

De pronto, él se apartó, maldiciendo.

Anonadada, Cleo iba a preguntar qué pasaba,

cuando oyó el timbre de la puerta. No debía de ser la primera vez que sonaba.

–¿Conoces a alguien que pueda llamar a tu puerta en medio de la noche?

–¿Aparte de mis amantes?

–Sí, aparte de ellos –repuso él con una fugaz sonrisa.

–No –repuso ella–. Además, solo conozco a una persona en Nueva Orleans y tiene su propia llave.

El timbre sonó de nuevo.

–Entonces, debe de ser para mí –dijo él con tono pesado.

Khaled se levantó, bajó las escaleras y se puso los pantalones con la misma rapidez y destreza con que se los había quitado. Acto seguido, se fue a la puerta. Cleo lo siguió, llena de reticencia.

–¿Quién es? –preguntó él.

Por lo que ella pudo comprender de la respuesta en árabe que hubo al otro lado, debía de ser alguien del equipo de seguridad del sultán. Khaled le dejó entrar y siguieron hablando en voz baja y rápida, como si hubiera pasado algo grave.

Cuando el otro hombre salió, Khaled dejó caer la cabeza hacia delante con aspecto derrotado.

–Debo volver a Jhurat.

–¿Pasa algo? –preguntó ella, tensa, inquieta.

–Siempre pasa algo –murmuró él–. Dicen que han rodeado a la banda de rebeldes de Talaat en una aldea cerca de la ciudad. Pero que la victoria no será la misma si yo no estoy allí para dirigir a mis hombres.

Mientras él se ponía el resto de la ropa, Cleo se dio cuenta de que era la primera vez que compartía con ella asuntos de Estado, aunque no entendía por qué.

–¿Y si ejerzo el poder que me has dado esta noche? –advirtió ella–. ¿Y si te exijo que te quedes?

Despacio, Khaled terminó de abotonarse la camisa, como si estuviera esperando.

–No hagas esto –pidió él con mirada sombría tras unos instantes.

–Es lo que acordamos.

–Cleo, no me pidas que elija entre mi país y mi esposa. Ni tú ni yo podemos ganar.

–¿Y si no me importa ganar? ¿Y si solo quiero que te quedes? –susurró ella con voz rasgada.

Khaled parecía destrozado, como si acabara de romperlo en dos con sus propias manos. De todas maneras, se puso los zapatos.

–Pensé que lo que había pasado arriba...

–Tú querías tenerme allí atado y yo no quería liberarme –la interrumpió él–. Pero tampoco quiero ser la clase de hombre que le falla a su país.

–Quieres decir que nunca me elegirías a mí primero.

–Soy el sultán de Jhurat, Cleo. No puedo hacer nada para borrar eso.

–Khaled –murmuró ella, sin saber qué más podía decir, mientras las lágrimas le corrían por el rostro.

–Te amo –confesó él, como si le hubiera costado la misma vida reconocerlo–. Pero debo elegir a mi país. Yo soy mi país –añadió y, después de acercarse, le acarició los labios con el pulgar–. Sé que eso acabaría destruyéndote y, por mucho que quiera estar contigo, no podría soportarlo.

Entonces, el sultán dio un paso atrás y soltó una amarga carcajada.

–Ni siquiera mi amor es puro, Cleo. Solo soy un egoísta. Si de veras te amara, no te abría seguido hasta aquí. Para empezar, no te habría seducido, ni me habría casado contigo.

Ella lo miró, incapaz de hablar, temblando.

–Por eso tengo que irme.

Cuando Cleo se bajó del avión en el aeropuerto privado de la familia real, a unos treinta kilómetros de la ciudad, la recibió el aire abrasador del desierto.

Tuvo que detenerse y tomar aliento para acostumbrarse a la temperatura. Mientras daba sus primeros pasos sobre tierra firme, le sorprendió, de pronto, sentirse como en casa.

Aunque todavía tenía que arreglar muchas cosas y lo sabía.

–Señora, es un placer recibirla –saludó Nasser, el jefe de seguridad de Khaled. Con deferencia, inclinó la cabeza hacia ella.A pocos metros, la esperaba un coche blindado para llevarla a palacio.

De veras lo estaba haciendo, se dijo Cleo, un poco como en una nube. Estaba allí.

–¿Estás segura? –le había preguntado Jessie, sin molestarse en ocultar su preocupación, mientras había acompañado a su amiga a hacer la maleta.

Habían pasado tres días desde que Khaled se había ido. En ese tiempo, Cleo había tenido que aceptar la verdad. Aquella mansión de la decadente Nueva Orleans no era su hogar.

Jessie era la única persona que sabía que había abandonado a Khaled hacía seis semanas. Cleo no se lo había contado a nadie más, ni siquiera a su familia. Sin saberlo, había estado esperando que Khaled fuera a buscarla.

También, había comprendido que había sido tan manipuladora como la madre de Khaled en el pasado. Había obligado a su marido a elegir, sin tomar responsabilidad de sus propias acciones.

—Nunca fingió ser nadie que no es. Nunca pretendió engañarme —le había contestado Cleo a su amiga—. Era yo quien me había forjado una versión fantástica del sultán.

Khaled la amaba, ella sabía que era cierto. Aun así, estaba dispuesto a renunciar a ella porque pensaba que así la protegería. Y, a cambio, ¿qué le había dado ella? Lo había abandonado sin explicación, le había enviado una foto de su píldora anticonceptiva para que él fuera a buscarla y, cuando él había caído en su trampa, le había dado un ultimátum. Tal y como él le había espetado esa noche en la calle, no era la mujer vulnerable e indefensa que pretendía ser.

—Sabes que te apoyo hagas lo que hagas —le había contestado Jessie, aunque no había podido ocultar su preocupación por ella—. Pero tengo que recordarte que, cuando lo dejaste, estabas aterrorizada. Temías desaparecer por completo dentro de su vida.

—No soy inocente de eso —había reconocido Cleo—. Creo que me cuesta tanto comprometerme como a él. Quizá, era eso lo que temía, el compromiso.

Poco convencida, Jessie había asentido.

–¿Y no crees que, si vuelves, se lo tomará como una rendición?

–No lo sé –había musitado Cleo–. Pero yo lo amo. Tengo que ir a verlo y averiguarlo.

La noche en que Khaled le había dejado que lo atara a la cama, le había enseñado que rendirse no siempre era perder. A veces, podía ser simplemente una demostración de amor.

Cuando el coche oficial entró en el laberinto de callejones que rodeaba el palacio, Cleo se dio cuenta de que estaba conteniendo la respiración. De alguna manera, esperaba que Khaled apareciera de la nada, igual que había hecho cuando lo había conocido. Deseó poder dar marcha atrás al primer día y arreglar las cosas, haciéndose responsable de sus decisiones desde el principio.

Él la había acusado de arrogante y orgullosa. Y, en ese momento, mientras el coche atravesaba las puertas de palacio, llevándola de vuelta a la vida de la que había huido, Cleo comprendió que era cierto.

Pero, en esa ocasión, no buscaba a un hombre que encajara con sus fantasías de cuento de hadas.

Quería a su marido.

Parado ante la ventana, Khaled no se giró cuando oyó abrirse la puerta de su despacho, pensando que sería uno de sus secretarios. Estaba hablando por teléfono con uno de sus ministros, que no paraba de ver amenazas al país en todas partes.

–Creo que es hora de alegrarnos de nuestra victoria –señaló Khaled, cansado de tantas quejas–. Mi primo Talaat está bajo custodia en palacio y no lo soltaré hasta que no sea políticamente conveniente. La rebelión ha sido sofocada. Yo lo considero un éxito.

Sin esperar respuesta, el sultán colgó y se quedó mirando el bello desierto en la distancia. Hermoso y vacío...

—¿Más quebraderos de cabeza?

Rígido, Khaled se preguntó si estaría empezando a tener alucinaciones auditivas. Pero, al volverse, muy despacio, su mujer estaba allí.

Conteniéndose para no correr a abrazarla, contempló su belleza y se preguntó por qué estaría allí.

—No ha cambiado nada —dijo él, rompiendo el silencio—. Es casi peor. Ahora el pueblo me considera un héroe y tengo menos tiempo que nunca.

—Yo no soy tu madre.

Verla allí, escucharla, era un soplo de aire fresco, pensó Khaled, sintiéndose como si, por fin, pudiera respirar. Sin embargo, sabía que tenía que dejarla marchar, antes de que su amor acabara destruyéndolos.

—¿Por qué has venido, Cleo? Lo de Nueva Orleans fue suficiente. ¿Has venido a ponérmelo más difícil?

—No soy tu madre —repitió ella.

Sin quitarle los ojos de encima, Cleo se acercó, muy despacio, y posó las manos en el pecho de él. Entonces, en un instante, las dulces llamas que siempre lo envolvían cuando estaba con ella, y solo con ella, volvieron a arder más que nunca.

—Lo siento —susurró Cleo—. Si quieres no me creas,

pero no voy a hacer lo que hizo ella. No voy a hacerte elegir. Me casé contigo. Sé quién eres, a pesar de que haya intentado ignorarlo en los últimos meses. Y ahora creo que me conozco a mí misma un poco mejor.

Khaled tomó las manos de ella y se las besó.

—Quiero creerte —consiguió articular él, con voz profunda y triste—. Pero no puedo.

—No tienes que creerme ahora mismo —repuso ella, temblando un poco, mirándolo a los ojos—. Quiero intentarlo otra vez, Khaled.

Con todo el dolor de su corazón, el sultán negó con la cabeza.

—Lo nuestro no puede durar, Cleo —señaló él y, cuándo ella iba a interrumpirlo, la cortó—. Ya sé cómo funciona. No puedo hacerlo otra vez. Sobre todo, no contigo.

—Khaled...

—Soy un hombre muy egoísta —reconoció él, apretando la mandíbula—. ¿Todavía no lo has comprendido? No quiero resistirme a ti. No hagas las cosas más difíciles de lo que ya son —rogó y, al mirarla a los ojos, le resultó casi imposible continuar—. Déjame hacer lo correcto.

—Esto es lo correcto —insistió ella. Entonces, se acercó un poco más y tomó el rostro de él entre las manos—. Lo nuestro es algo bueno, Khaled. Por eso nos hace tanto daño.

—Creo que eso, más bien, demostraría lo contrario.

—Lo único que nos hemos mostrado el uno al otro hasta ahora es lo inflexibles que podemos ser —indicó ella.

Escuchándola, el sultán sintió que toda la oscuridad que anidaba en su pecho se disipaba poco a poco. Cleo lo inundaba con su luz, con su calidez y su paz. Su cercanía era la más dulce de las mieles. Y él era solo un hombre. No podía resistirse a ella.

–Ya conocemos nuestros lados más oscuros –prosiguió ella–. Pero ¿y si no somos como nuestros padres? ¿Y si aprendemos a inclinarnos sin rompernos?

Inclinarse, pensó él. Eso era lo que le estaba sucediendo en ese mismo momento. Era lo que le había pasado desde el día en que la había conocido. Toda la oscuridad que llevaba dentro había ido tornándose en una gama de grises y azules. La luz de Cleo no había dejado de disipar sus sombras.

Quizá, si se atrevieran, su final feliz podía empezar en ese momento, caviló él.

–Soy el sultán de Jhurat. Yo nunca me doblo –dijo Khaled, aunque habló con una sonrisa.

–Sí, sí, claro –repuso ella, sonriendo también, y miró al cielo con gesto de fingida impaciencia–. Eres el gran y temible sultán. El mundo se inclina ante ti y no al revés.

–No me importa nada el mundo –rezongó él y la tomó entre sus brazos, jurándose a sí mismo que jamás la dejaría marchar de nuevo. Nunca. Sin importar lo que pasara. Sin importar lo que costara. Aunque tuviera que atarla a una cama, aunque tuviera que inclinarse un millón de veces–. Es a ti lo que quiero. Siempre ha sido así.

–Haré todo lo que pueda para que eso nunca cambie –aseguró ella con pasión.

–Quiero que estés segura de lo que haces –advirtió él, adoptando de nuevo su acostumbrado tono autoritario–. En esta ocasión, no te dejaré marchar. Te detendré por la fuerza, si hace falta, y de forma permanente.

–Te lo prometo, Khaled –susurró ella, sintiendo cómo su cuerpo se encendía con llamaradas de deseo y alegría–. Nunca te daré razón para que vuelvas a dudar de que te quiero.

Entonces, en ese mismo instante, sobre el gran escritorio que el abuelo del sultán había llevado a palacio como botín de una guerra olvidada, con la bella estampa de Jhurat reluciendo ante ellos, comenzaron a hacer realidad todas sus promesas.

Cinco años después, Cleo descansaba cómodamente en una tienda al lado de las aguas cristalinas del estanque del oasis. Los dos habían mantenido sus promesas, se dijo.

Cuando Khaled entró y se quedó parado en la puerta, dejando atrás el abrasador sol del mediodía, Cleo tardó unos segundos en adaptar sus ojos a tanta luz. ¿Era por el sol o era el brillo que él mismo desprendía?

–¿Ha funcionado? –preguntó ella, mientras el sultán se tumbaba a su lado y la tomaba entre sus brazos, trazándole un camino de besos desde la sien a la boca.

Ella se estremeció de deseo, como siempre le sucedía.

–Sí –contestó él–. Resulta que debo de tener poderes de hipnotizador, como siempre he creído. Se quedó dormida en el segundo verso.

Khaled había estado en la tienda vecina mucho más tiempo del que se necesitaba para leer dos versos, desde que se había ido a dormir a su pequeña de dos años.

—Y luego te quedaste mirándola para asegurarte de que respiraba —adivinó ella.

—Claro —admitió él con una sonrisa—. Y para protegerla de cualquier pesadilla que pudiera tener. Es mi obligación.

Los dos habían mantenido sus compromisos a lo largo de los años. Por cada tres meses seguidos en palacio, Cleo había insistido en que pasaran una semana en el oasis. Ella había aprendido a no huir ni salir corriendo. Él había aprendido a delegar. Los dos habían aprendido a ser flexibles. El sultán había despedido a Margery y Cleo se había propuesto pasar más tiempo con Amira que, como había predicho, había dejado atrás su actitud rebelde cuando había crecido.

Lo habían intentado. Ambos se habían esforzado por hacerlo bien.

Entonces, cuando los dos habían estado preparados, había llegado su primera hija. La hermosa Amala Faith tenía ojos oscuros y relucientes como el sultán y tenía a los dos comiendo de su mano.

Pero, aun así, Cleo no le perdonaba a Amala la hora de la siesta, pues esos eran los únicos momentos en que podía estar a solas con su marido.

—¿Quieres echarte un poco la siesta, mi amor? —preguntó Khaled con falsa sinceridad, deslizando los labios por el cuello de ella–. Podemos descansar, como nuestra querida hija.

Sonriendo, Cleo se apretó contra él y contuvo la respiración.

–Puede que yo ya esté dormida –bromeó ella–. De aburrimiento, quiero decir. ¿Es eso a lo que te refieres, Excelencia?

–Cierra los ojos, entonces –replicó él, envolviéndola con su sonrisa.

En los últimos tiempos, Khaled sonreía mucho más a menudo. Eso lo hacía más hermoso. Ya no parecía un hombre distante e inalcanzable, ni cruel.

–Intentaré no molestarte con mis tediosas atenciones –continuó él.

–¿Y si no me apetece cerrar los ojos?

–Cleo –ordenó él, su sonrisa tornándose una traviesa provocación–. Obedece.

Y Cleo obedeció.

Porque su vida junto a ese hombre era mucho mejor que cualquier fantasía de cuento de hadas que pudiera haber imaginado.

Y porque, de vez en cuando, le resultaba un placer obedecer.

Acepte 2 de nuestras mejores novelas de amor GRATIS

¡Y reciba un regalo sorpresa!

Oferta especial de tiempo limitado

Rellene el cupón y envíelo a
Harlequin Reader Service®
3010 Walden Ave.
P.O. Box 1867
Buffalo, N.Y. 14240-1867

¡Sí! Por favor, envíenme 2 novelas de amor de Harlequin (1 Bianca® y 1 Deseo®) gratis, más el regalo sorpresa. Luego remítanme 4 novelas nuevas todos los meses, las cuales recibiré mucho antes de que aparezcan en librerías, y factúrenme al bajo precio de $3,24 cada una, más $0,25 por envío e impuesto de ventas, si corresponde*. Este es el precio total, y es un ahorro de casi el 20% sobre el precio de portada. !Una oferta excelente! Entiendo que el hecho de aceptar estos libros y el regalo no me obliga en forma alguna a la compra de libros adicionales. Y también que puedo devolver cualquier envío y cancelar en cualquier momento. Aún si decido no comprar ningún otro libro de Harlequin, los 2 libros gratis y el regalo sorpresa son míos para siempre.

416 LBN DU7N

Nombre y apellido	(Por favor, letra de molde)
Dirección	Apartamento No.
Ciudad	Estado	Zona postal

Esta oferta se limita a un pedido por hogar y no está disponible para los subscriptores actuales de Deseo® y Bianca®.
*Los términos y precios quedan sujetos a cambios sin aviso previo.
Impuestos de ventas aplican en N.Y.

PRINCESA ATRAPADA

OLIVIA GATES

Mohab Aal Ghaanem había tenido a Jala y la perdió. Años
después, aprovechando que
iba a ser coronado rey, se le
presentó la oportunidad de acabar con la enemistad que había
entre sus dos reinos y cumplir
la promesa que le había hecho
a la princesa de Judar de con-
vertirla en su esposa.

Seis años atrás, él la había sal-
vado de un secuestro. Ahora
aparecía de nuevo en su vida y
pretendía forzarla a un falso
matrimonio. ¿Se trataba de una segunda oportunidad
con el hombre al que no había conseguido borrar de su
mente o de que su corazón volviera a quedar hecho
añicos?

No se había apagado la pasión abrasadora

¡YA EN TU PUNTO DE VENTA!

Bianca.

¿Sería capaz de desafiarlo y negarle sus exigencias?

Cuando Lily Barton, una profesora de colegio de Londres, decidió que iba a Roma a pasar las vacaciones de Navidad con su hermano, lo que menos esperaba era que la secuestrara el inquietante y atractivo conde Scarletti. Desde el primer momento, él la cautivó con su mirada.

La hermana de Dmitri Scarletti se había fugado con el hermano de Lily, y él había decidido mantenerla como rehén hasta que consiguiera dar con ellos. Sin embargo, la fuerte personalidad de Lily le atrajo desde el primer momento, y le provocó un deseo ardiente al que no podía resistirse. Tuvo una noche mágica para satisfacer su pasión, pero sabía que, a la mañana siguiente, tendría que dejar que ella se marchara…

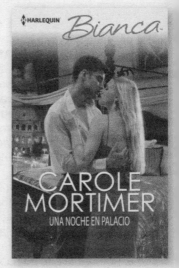

Una noche en palacio

Carole Mortimer

¡YA EN TU PUNTO DE VENTA!